T5-BBK-285

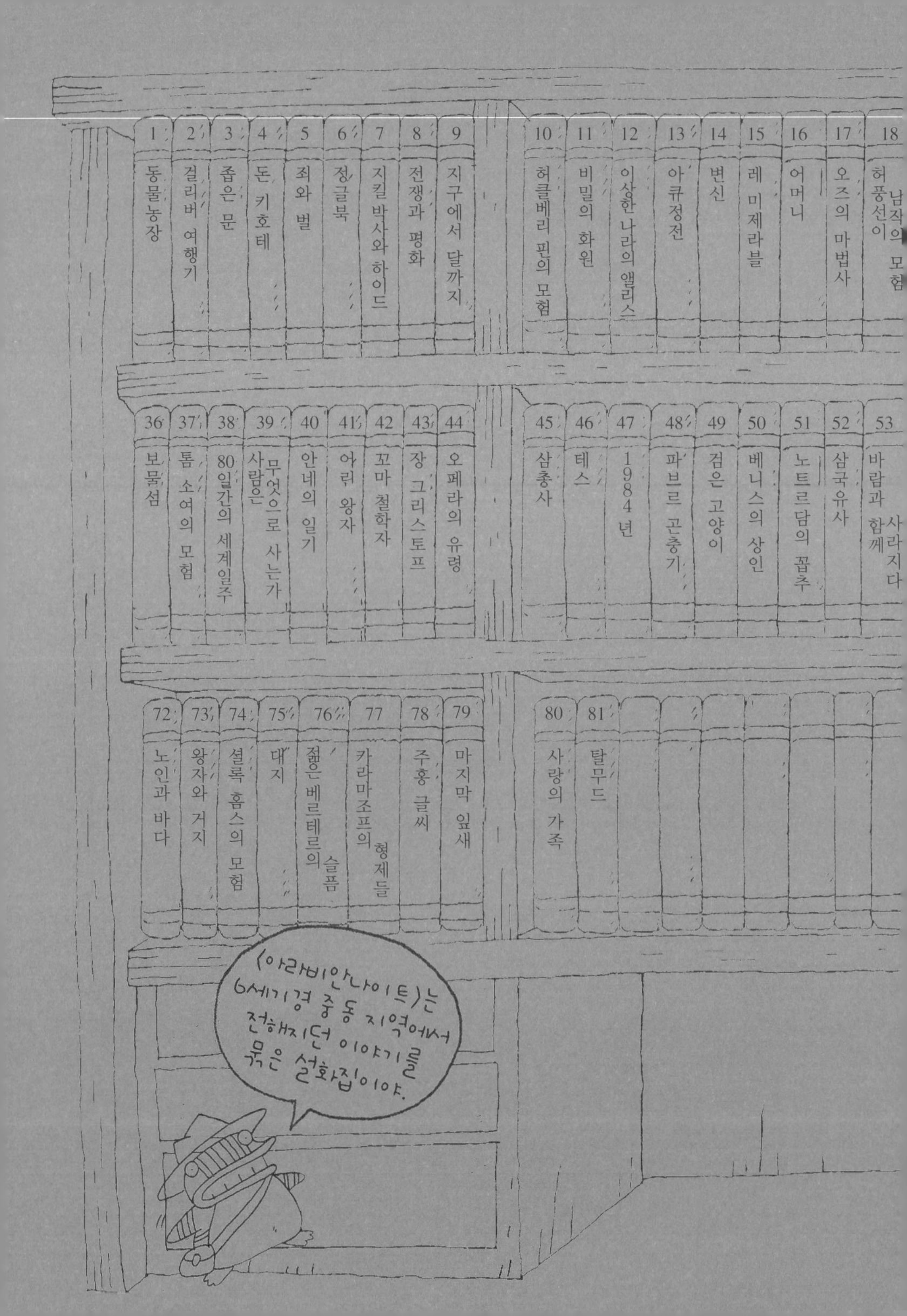

1 동물농장
2 걸리버 여행기
3 좁은 문
4 돈 키호테
5 죄와 벌
6 정글북
7 지킬 박사와 하이드
8 전쟁과 평화
9 지구에서 달까지
10 허클베리 핀의 모험
11 비밀의 화원
12 이상한 나라의 앨리스
13 아큐정전
14 변신
15 레 미제라블
16 어머니
17 오즈의 마법사
18 허풍선이 남작의 모험
36 보물섬
37 톰 소여의 모험
38 80일간의 세계일주
39 사람은 무엇으로 사는가
40 안네의 일기
41 어린 왕자
42 꼬마 철학자
43 장 크리스토프
44 오페라의 유령
45 삼총사
46 테스
47 1984년
48 파브르 곤충기
49 검은 고양이
50 베니스의 상인
51 노트르담의 꼽추
52 삼국유사
53 바람과 함께 사라지다
72 노인과 바다
73 왕자와 거지
74 셜록 홈스의 모험
75 대지
76 젊은 베르테르의 슬픔
77 카라마조프의 형제들
78 주홍 글씨
79 마지막 잎새
80 사랑의 가족
81 탈무드
〈아라비안나이트〉는 6세기경 중동 지역에서 전해지던 이야기를 묶은 설화집이야.

19 도련님
20 제인 에어
21 올리버 트위스트
22 피터 팬
23 위대한 개츠비
24 닐스의 이상한 모험
25 오만과 편견
26 로빈슨 크루소
27 홍당무
28 타임머신
29 파우스트
30 파랑새
31 톰 아저씨의 오두막
32 폭풍의 언덕
33 작은 아씨들
34 알프스 소녀 하이디
35 크리스마스 캐럴
54 열하일기
55 키다리 아저씨
56 해저 2만 리
57 별
58 적과 흑
59 압록강은 흐른다
60 시턴 동물기
61 도리언 그레이의 초상
62 난중일기
63 쿠오바디스
64 몬테크리스토 백작
65 빨간 머리 앤
66 15소년 표류기
67 구운몽
68 목로주점
69 부활
70 일리아드
71 모비 딕
세헤라자데가 샤리야르 왕에게 1001일 동안 이야기를 들려 주는 형식으로 되어 있어.
입에서 입으로 전해지던 이야기라 지은이가 누구인지는 정확히 알 수 없대.
신비롭고 환상적인 이야기들로 가득해서 정말 흥미진진해!
논술 명작 82
아라비안 나이트

아이세움 논술 | 명작 82

아라비안나이트

감수 방민호

서울대 국문과, 같은 과 대학원을 졸업했습니다. 제1회 창비신인평론상과 제18회 김달진문학상을 수상했으며, 현재 서울대 국문과 교수로 재직 중입니다. 〈비평의 도그마를 넘어〉, 〈문명의 감각〉을 비롯한 많은 책을 쓰고 엮었습니다.

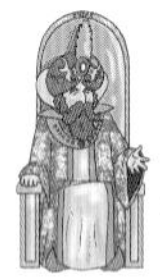

아이세움 논술 | 명작 82

아라비안나이트

원작 리처드 버턴 | **엮음** 남상욱 | **그림** 김영랑 | **감수** 방민호

펴낸날 2010년 12월 30일 초판 1쇄, 2013년 10월 25일 초판 4쇄

펴낸이 김영진

본부장 조은희 | **사업실장** 이영호

편집장 박철주 | **편집 · 진행** 위혜정, 고여주, 백한별, 이미호, 안아름 | **디자인** 강륜아

펴낸곳 (주)미래엔 | **주소** 서울시 서초구 잠원동 41-10

전화 마케팅 02)3475-3843~4 편집 02)3475-3924 | **팩스** 02)541-8249

등록 1950년 11월 1일 제16-67호 | **홈페이지** www.i-seum.com

ISBN 978-89-378-4971-8 74890

ISBN 978-89-378-4116-3 (세트)

· 책값은 뒤표지에 있습니다.

· 파본은 구입처에서 교환해 드리며, 관련 법령에 따라 환불해 드립니다. 다만, 제품 훼손 시 환불이 불가능합니다.

Mirae N 아이세움은 (주)미래엔의 어린이책 브랜드입니다.

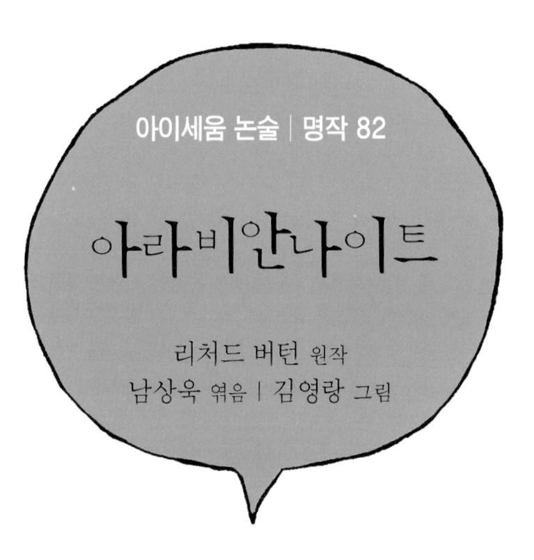

아이세움 논술 | 명작 82

아라비안나이트

리처드 버턴 원작

남상욱 엮음 | 김영랑 그림

명작은 인간과 사회를 이해하는 첫걸음입니다

많은 사람들에게 재미와 감동을 주는 탁월한 작품을 명작이라고 합니다. 그중 시간과 공간을 초월하여 변함없이 사랑 받아온 작품을 고전이라고 하지요.

우리는 어릴 때부터 고전과 명작 읽기의 중요성에 대해 배워 왔습니다. 고전 명작이 소중한 이유는 그 안에 인간과 사회에 대한 작가의 치열한 상념이 녹아 있기 때문입니다. 탄탄한 서사 구조 속에 재미와 감동은 물론, 시대를 대변하는 보편적인 가치가 반영되어 있기 때문입니다.

따라서 고전 명작을 읽을 때에는 작품 속 주제의식이나 작가의 세계관을 올바로 이해하려는 노력이 필요합니다. 작가가 작품을 쓰던 당시의 사회적 배경이 어떠하였는지, 또 작품에서 가장 중요하게 다루고 있는 논쟁거리가 무엇인지에 대해 깊이 고민해야 합니다. 주제, 줄거리 등을 단편적으로 암기하는 것이 아니라 작가와 교감을 통해 인간과 사회에 대한 이해를 넓혀나가는 것입니다. 이런 노력이 뒷받침되어야 우리는 비로소 고전 명작을 읽었다라고 이야기할 수 있습니다.

〈아이세움 논술 | 명작〉은 고전 명작이 어른들의 전유물이라는 편견을 버리고, 재미있는 삽화와 쉬운 문장으로 구성되어 있습니다. 그리고 작품을 읽기 전에 작품을 둘러싼 시대사적 배경을 알려 주고 읽은 후에는 작품에 대해서 토론하면서 생각할 수 있도록 구성되어 있습니다. 어린 독자들이 고전에 친숙해질 수 있는 기회를 주는 책이라고 생각합니다.

어린 시절에 읽는 양서 한 권이 어린이의 미래를 바꿉니다. 부디 〈아이세움 논술 | 명작〉으로 세계를 바라보는 안목을 높이고 자기만의 세계를 공고히 다져 나가기 바랍니다.

서울대학교 국어국문학과 교수
방 민 호

명작 읽기의 소중함

열심히 책만 읽기에는 너무 고단한 우리 학생들에게 다시 '논술' 열풍이 불고 있다. 학생들이 스스로 즐겨 그렇게 된 것은 아니지만, 학생들을 위해 결코 나쁜 일이라고만 말할 수는 없을 것이다.

새삼스러운 얘기일 터이지만 좋은 글을 쓸 수 있는 가장 빠른 길은 "많이 읽고(다독多讀) · 많이 쓰고(다작多作) · 많이 생각(다상량多商量)" 하는 삼다(三多)밖에 다른 것이 없다.

먼저 다독이 문제다. 많이 읽는다고 해서 아무 책이나 마구잡이로 읽는 것을 다독이라고 하지는 않는다. 많이 읽되, 좋은 책을 읽을 때 그것이 다독이다. 그렇다면 어떤 책이 좋은 책일까?

우선 고전이라 할 명작에는 사람이 세상을 살면서 알아야 할 온갖 삶의 지혜와 가치가 담겨 있다. 가령 〈지킬 박사와 하이드〉에서는 인간 내면에 혼재해 있는 선과 악의 대립을, 〈동물농장〉

에서는 삶을 한없이 타락시키는 전체주의와 아름다운 삶을 지향하는 인간의 무한한 이상의 끊임없는 갈등과 투쟁에 대한 반추를 해 볼 수 있다. 이런 고전을 재미있게 읽고 생각하는 기회를 갖는 것이 바로 좋은 글을 쓸 수 있는 바탕이다. 문제는 고전이 너무 어렵고 분량이 방대하다는 점이다.

이번에 출간된 〈아이세움 논술 | 명작〉은 원전의 내용을 재구성해 어린 학생들이 쉽게 고전과 친해지도록 만들었다. 지루함을 덜기 위해 캐릭터를 사용해서 그 캐릭터들과 끊임없이 교감하며 끝까지 책을 손에서 놓지 못하게 만든 것도 이 시리즈의 특색이요 장점일 터이다. 책 뒤에 논술을 학습할 수 있도록 논술 워크북과 가이드북을 제공하여 '학습과 논술'이라는 두 문제를 다 해결할 수 있도록 배려한 점도 주목할 만하다. 어린 학생들이 편안하고 소중한 독서 경험을 하리라 본다.

물론 이 명작선은 완역본이 아니므로 이것만 읽어서는 해당 작품을 제대로 읽었다고 말할 수 없을 것이다. 그러나 훗날 학생들이 성장하여 완역본으로 다시 읽고 올바르게 이해하는 데 큰 도움이 되도록 세심한 배려를 했다.

이 점도 이 시리즈가 귀하고 값진 이유이다.

시인

신경림

| 차 례 |

PART 1 명작 살펴보기

PART 2 명작 읽기

나는 뒤뚱이.
<아라비안나이트>는 아라비아 지역에서 전해 내려오던 이야기를 모아 엮은 책이야.

나는 번빠리.
<아라비안나이트>는 이야기 속에 또 다른 이야기가 들어 있는 액자식 구성으로 이루어져 있어.

PART 3 깊어지는 논술

PART 4 논술 워크북

<아라비안나이트>는 셰익스피어를 비롯한 세계의 대문호들에게 큰 영향을 끼쳤대.
1001일 동안의 이야기라는 뜻에서 '천일야화'라고도 하지.

명작

지혜롭고 마음씨 착한 세헤라자데를 빨리 만나 보자고!

박테리아 고로케 튜브 팬티맨

PART 1

명작 살펴보기

<아라비안나이트>의
세계로 들어가 볼까?

명작 살펴보기

샤리야르 왕이 잠 못 드는 이유는?

긴급 상황, 긴급 상황! 샤리야르 왕이 밤마다 잠을 이루지 못한대요. 그래서 나랏일을 할 때면 꾸벅꾸벅 졸기만 한다지 뭐예요. 샤리야르 왕이 잠 못 드는 이유는 무엇일까요? 뒤뚱이와 번빠리와 팬티맨이 직접 왕궁으로 출동했어요!

한 번 들으면 잠을 못 잘 정도로 재미있고, 컴퓨터 게임보다 훨씬 더 재미있는 이야기라니, 대체 무슨 이야기일까요? 그리고 세헤라자데는 왜 매일 밤마다 이야기를 하는 걸까요?

그럼 아라비안나이트의 세계로 빠져 봅시다!

1001일 동안 펼쳐지는 환상적인 이야기

〈아라비안나이트〉는 인도와 중국까지 다스렸던 페르시아의 왕 샤리야르로부터 시작돼요. 샤리야르 왕에게는 아름다운 왕비가 있었는데 흑인 노예와 부정한 짓을 저질렀어요. 화가 난 왕은 왕비를 처형하고 말아요. 그 일로 여자를 증오하게 된 샤리야르 왕은 날마다 왕비를 맞아들여 결혼식을 올리고는 다음 날 아침에 처형해 버려요. 나라 안의 모든 처녀들은 공포에 떨게 되지요. 그때 지혜로운 세헤라자데가 샤리야르 왕과 결혼을 하겠다고 나서요.

결혼 후 세헤라자데는 왕에게 신비롭고 놀라운 이야기를 들려주어요. 샤리야르 왕은 이야기가 무척 재미있어 세헤라자데를 죽이지 않고 다음 날도 또 그 다음 날에도 계속해서 이야기를 들어요. 그렇게 1001일 동안 이야기가 계속되지요. 세헤라자데의 이야기가 1001일 밤 동안 계속되었다 하여 〈아라비안나이트〉가 '천일야화'로 불리기도 한답니다.

아라비아 지역에서 전해지던 구비 문학

〈아라비안나이트〉는 아라비아 지역에서 전해 내려오는 이야기를 모아 만든 설화집이에요. 6세기경 페르시아에서 전해지던 고대 설화집에 이라크, 이집트 등지에서 떠돌던 이야기들이 보태져 15세기경 지금의 〈아라비안나이트〉가 완성되었어요. 입에서 입으로 전해지던 구비 문학이었기 때문에 지은이가 누구인지는 정확히 알 수 없어요.

〈아라비안나이트〉는 호메로스의 〈일리아드〉와 〈오디세이〉의 영향도 받았다고 해.

이야기의 무대가 되는 페르시아는 무역이 매우 번성했기 때문에 전 세계의 상인들이 모여들었어요. 각자 자기 나라에 전해지는 신기한 이야기를 나누느라 떠들썩한 분위기였지요. 그래서 〈아라비안나이트〉에는 중동 지역뿐 아니라 인도와 이집트, 그리스, 심지어 중국을 무대로 한 이야기까지 들어 있답니다.

한눈에 살펴보기
난 어부. 은혜를 모르는 마신 때문에 죽을 뻔했다고!
난 샤리야르 왕. 여자들을 증오해!
난 세헤라자데. 재미있는 이야기로 샤리야르 왕을 다시 착한 왕으로 만들 거야.
난 디나자드. 세헤라자데 언니와 계획을 짰지.

Start 발단

인도와 중국까지 다스리던 샤리야르 왕은 왕비가 부정을 저지르자 왕비를 처형한 뒤 세상의 모든 여자들을 증오한다. 그 뒤 샤리야르 왕은 매일같이 신부를 맞아들여 결혼을 하고는 다음 날 아침이면 어김없이 죽여 버린다.

expansion 전개

나라 안의 처녀들이 불안에 떨며 피신을 하기 바쁜 가운데 지혜로운 세헤라자데가 왕비가 되겠다며 나선다. 왕과 결혼을 한 세헤라자데는 꾀를 내어 왕에게 재미있는 이야기를 들려 주기 시작한다.

climax 절정

세헤라자데는 밤마다 '어부와 마신 이야기', '현자 두반과 유난 왕 이야기', '신드바드 왕과 매 이야기', '왕자와 요괴 굴라 이야기, '현자 두반과 유난 왕과 대신 이야기' 등을 샤리야르 왕에게 들려준다.

ending 결말

세헤라자데가 밤마다 들려주는 신비롭고도 흥미진진한 이야기에 빠져든 왕은 뒷이야기가 궁금해 하루 이틀 처형을 미룬다. 1001일 동안 이야기를 들은 왕은 마음이 누그러져 현명한 왕이 되고 세헤라자데를 왕비로 맞아들인다.

이렇게 읽어 보세요!

폭군을 순한 양으로 바꿔 놓은 이야기의 힘!

세헤라자데가 샤리야르 왕에게 들려준 이야기는 아라비아 지역에서 입에서 입으로 전해지던 이야기와 그리스 문학 〈일리아드〉의 영향을 받은 이야기들이었어요. 1001일 동안 모험과 환상이 가득한 이야기를 들은 샤리아르 왕은 어느새 마음이 누그러져 신부들을 죽이는 일을 그만두지요.

세헤라자데는 이야기를 듣는 사람이 흥미를 잃지 않도록 수많은 이야기의 순서를 정하고 각 이야기 속에 담긴 교훈들은 자연스럽게 부각시켰어요. 세헤라자데의 재미있는 이야기 속에 담긴 교훈이 폭군 샤리야르 왕을 바꾸어 놓은 거예요.

샤리야르 왕의 마음을 돌려놓은 것은 돈도, 권력도, 무기도 아닌, 어이없게도 아무런 힘도 없을 것 같은 이야기였어요. 이것이 바로 이야기가 가진 힘이랍니다.

◀ 샤리야르 왕은 낮에는 나랏일을 하고 밤에는 세헤라자데의 이야기를 들으며 점점 마음이 누그러져 현명한 왕이 되었어요.

이슬람 사상이 바탕에 깔려 있어요!

각 민족 사이에 전해 오는 신화, 전설, 민담 따위를 설화라고 한단다.

〈아라비안나이트〉는 180편의 주요 이야기와 108편의 짧은 이야기로 이루어진 장편 설화집이에요. 이야기가 이야기를 낳고 그 이야기 속에 이야기가 숨어 있으며, 그 이야기가 다시 이야기를 낳는 액자식 구성으로 이루어져 있지요.

이야기의 무대는 옛 페르시아 제국으로, 오늘날의 이라크의 바그다드가 가장 많아요. 그 다음으로 이집트의 카이로, 시리아의 다마스쿠스 등도 자주 나오며 중국과 인도까지도 등장해요.

이야기들은 입에서 입으로 전해지면서 실제 역사와 가공의 세계가 마구 뒤섞여 있어요. 이 모든 이야기들은 아랍어로 전해 내려왔으며 이슬람 사상이 바탕에 깔려 있답니다.

▲ 옛 페르시아 제국의 모습을 가장 잘 간직하고 있는 이란의 도시 이스파한을 대표하는 이맘 모스크예요. 정식 이름은 샤 모스크이지요.

모스크는 이슬람교의 예배당을 말해. 특유의 둥근 지붕과 건물을 둘러싼 첨탑이 특징이야.

잠시 휴식! 찹쌀떡을 먹고 〈아라비안나이트〉를 읽어 보세요!

PART 2

명작 읽기

신비롭고 환상적인
세헤라자데의 이야기를
함께 들어 볼래?

명작 읽기

1장

샤리야르 왕의 슬픔에서 비롯된 이야기

옛날, 아주 먼 옛날에 샤리야르라는 왕이 있었다. 샤리야르 왕은 타고난 용맹스러움으로 전쟁에서 앞장서며 나라의 안전을 지켰다. 또한 너그러움으로 백성을 보살폈다. 백성들은 모두 샤리야르 왕을 우러르며 따랐다.

그러나 그것은 이미 3년 전의 일이다.

"그놈의 왕 빨리 죽어 버렸으면 좋겠어."

"이런 나라에 살아서 뭐해!"

"알라신이시여, 어서 이 나라를 망하게 해 주십시오."

나라의 모든 백성이 내뱉는 한탄이었다. 샤리야르 왕은 백성의 원망과 미움을 한 몸에 받고 있었다. 대체 무슨 일이 있었던 것일까.

3년 전만 해도 샤리야르 왕은 행복했다. 세상의 모든 사람이 샤리야르 왕을 부러워했다. 왕국의 거대한 영토는 그 어떤 강대한 나라도 쳐들어올 수 없을 정도로 굳건히 지켜졌다. 왕궁의 창고에는 진귀한 보물들이 바닷가의 모래알처럼 흔하게 굴러다녔다. 어느 누가 왕을 부러워하지 않을 수 있단 말인가.

알라신은 아랍 인들
사이에서 천지 창조의 신으로
받들어지던 신이야. 이슬람교를
창시한 마호메트가 이슬람교의
유일신으로 받들었지.

그러나 샤리야르 왕이 행복한 이유는 따로 있었다. 바로 아름다운 왕비가 그 이유였다. 샤리야르 왕은 세상의 모든 부귀영화보다 왕비와 함께 지내는 시간이 둘도 없는 행복이었다. 알라신이 왕의 자리와 왕비 중 하나를 택하라고 한다면 아무런 망설임 없이 왕비를 선택할 정도였다.

어느 날, 샤리야르 왕은 신하들과 함께 사냥을 떠나기로 했다. 샤리야르 왕은 왕비를 홀로 두고 떠나는 것이 마음에 걸렸다. 그래서 같이 사냥을 가자고 청해 보았다.

"어찌 여자의 몸으로 사냥터에 따라갈 수 있겠습니까. 저는 왕궁에서 전하를 기다리고 있겠습니다. 제 걱정은 마시고 즐겁게 지내다 오십시오."

왕비의 완곡婉曲한 거절에 샤리야르 왕은 더 이상 아무 말도 하지 못했다. 왕은 최대한 빨리 돌아오리라 마음먹고는 신하들과 사냥을 떠났다.

사냥터는 왕궁에서 말을 타고 꼬박 하루를 가야 하는 먼 곳이었다. 아침에 출발한 샤리야르 왕 일행은 쉬지 않고 말을 달려 해가 머리 꼭대기에 떠올랐을 때가 되어서야 오아시스에 도착했다. 그들은 점심을 먹기 위해 오아시스 주위에 자리 잡고 앉았다.

야자나무 그늘 아래 앉은 샤리야르 왕은 자기가 먹고 있는 게 밥인지 모래인지 모를 지경이었다. 왕궁에 남겨 두고 온 왕비 때문이었다. 마음이 불안해 견딜 수가 없었

완곡(婉曲) : 말하는 투가, 듣는 사람의 감정이 상하지 않도록 모나지 않고 부드러움.

여자가 사냥이라니요? 얼굴 타는 거 싫어 안 갈래요!
그럼 내 금방 돌아오리다.
뭔가 수상해!

다. 뭔가 좋지 않은 일이 벌어지고 있을 것만 같은 예감이 들었던 것이다. 도저히 이런 기분으로는 사냥할 맛이 나지 않았다.

이상하게 불길한
예감은 꼭 적중하지.
샤리야르 왕이 괜히
불안해하는 건
아니야.

'아무래도 안 되겠다. 왕궁으로 돌아가야겠어.'

그러나 신하들이 문제였다. 특별한 이유도 없이 돌아가야겠다고 하는 건 아무리 왕이라 해도 체면이 서지 않는 일이었다. 샤리야르 왕은 거짓말을 하기로 했다.

"어허, 내 중요한 물건을 놓고 온 것 같소. 내 얼른 가서 가지고 오겠소."

신하들은 하인을 시키라며 샤리야르 왕이 직접 왕궁으로 가는 것을 말렸다. 그러나 샤리야르 왕은 너무나도 소중한 물건이어서 자신이 직접 가서 가지고 와야 한다고 했다. 샤리야르 왕이 완강히 나오자 신하들도 더 이상 말리지 못했다.

"그럼 저희는 먼저 사냥터로 출발하겠습니다. 얼른 다

녀오시옵소서."

샤리야르 왕은 신하들의 말이 끝나기가 무섭게 말을 타고 왕궁으로 향했다. 사냥을 갔던 왕이 갑자기 돌아오자 왕궁의 하인들은 깜짝 놀랐다.

"왕비는 어디 있느냐?"

하인들 모두 입을 꾹 다물고 머뭇거리만 했다.

"왕비는 어디 있냐니까? 빨리 말하라!"

왕이 다그치자 한 하인이 우물쭈물하며 입을 열었다.

"왕, 왕비님은 지금 정원에 계십니다. 그, 그러나 가시지 않는 게 좋을 듯합니다."

'가지 말라니? 이 나라의 왕이자 왕궁의 주인인 나에게 한 말이 맞단 말인가.'

샤리야르 왕은 어이가 없었지만 왕비를 보는 게 무엇보다 급했다.

'제발, 제발 아무 일 없기를…….'

"호호호!"

샤리야르 왕이 정원에 도착했을 때였다. 왕비의 웃음소

리가 들려왔다. 지금껏 한 번도 들어 본 적이 없는 즐거운 웃음소리였다. 그 웃음소리에 샤리야르 왕의 걱정은 눈 녹듯 사라졌다.

'아무 일도 없는 게 틀림없어. 그러니 저렇게 정원에서 즐거운 시간을 보내고 있겠지.'

샤리야르 왕은 나쁜 생각을 품었던 자신을 탓했다. 다시 사냥을 떠나기 전 왕비의 얼굴을 잠깐이라도 보기 위해 웃음소리를 향해 발걸음을 옮겼다.

정원 가득 피어 있는 온갖 화려한 꽃들 사이로 활짝 웃고 있는 왕비의 얼굴이 보였을 때, 샤리야르 왕의 얼굴은 한층 더 밝아졌다. 그러나 곧 충격으로 일그러졌다.

우람한 덩치의 흑인 노예가 수풀 속에서 걸어 나오자 왕비는 그의 품에라도 안길 듯 달려갔다.

"샤리야르 왕이 우리 사이를 의심하는 일은 없겠지요, 왕비님?"

"그런 걱정은 하지도 말라니까. 나를 얼마나 좋아하는데, 호호호! 깔깔깔!"

내가 저럴 줄
알았어! 어쩐지 불길한
예감이 들더라니까!
보고 싶었어요,
왕비님!
호호! 나도
보고 싶었어.
부들
부들

"왕비님! 제가 쥐도 새도 모르게 샤리야르 왕을 없애 버릴까요? 그렇게 되면 왕비님과 저는 누구의 눈치도 보지 않고 마음대로 만날 수 있지 않겠습니까?"

"호호호, 그거 좋은 생각인걸. 그렇게만 된다면 내 너를 높은 자리에 앉히고 평생 내 옆에 둘 것이니라."

"정말입니까, 왕비님? 그럼 샤리야르 왕이 사냥에서 돌아오는 날 바로 없애 버릴까요?"

"그럴까? 호호호!"

흑인 노예가 깔깔대는 왕비를 부둥켜안자 왕비 역시 흑인 노예의 목을 와락 껴안았다.

샤리야르 왕은 눈앞에서 벌어지는 일을 믿을 수 없어 몇 번이나 손등으로 눈을 비볐다. 그러나 모든 건 분명한 사실이었다. 타오르는 분노에 온몸을 덜덜 떨던 샤리야르 왕은 허리에 찬 칼을 빼어 들며 앞으로 달려 나갔다.

사냥을 떠난 줄로만 알았던 샤리야르 왕이 갑자기 나타나자 흑인 노예와 왕비의 얼굴이 새파랗게 질렸다. 샤리야르 왕은 수많은 전쟁터를 누비며 적을 쓰러뜨렸던 칼을 그들을 향해 내리쳤다.

"으아아악!"

흑인 노예와 왕비를 해치운 뒤에도 샤리야르 왕의 분노는 식을 줄 몰랐다. 목숨보다 더 사랑했던 왕비의 배신은 샤리야르 왕에게는 너무도 큰 충격이었다. 그 때문에 샤리야르 왕은 점점 흉포하고 잔인해져 갔다.

그토록 사랑한
왕비가 배신을 했으니
샤리야르 왕이 충격을
받을 만도 해!

신하들은 그런 왕을 보며 다시 결혼을 해서 행복한 가정을 이루어야 한다고 재촉했다. 샤리야르 왕은 신하들의 말에 코웃음을 쳤다.

"결혼이라니, 내가 그토록 사랑했던 왕비가 내게 무슨 짓을 했는지 잊었단 말이오? 나는 알라신에게 맹세코 절대 결혼은 하지 않을 것이오."

그러나 신하들도 물러서지 않았다. 신하들은 왕이 다시 행복한 가정을 이루어야만 예전의 현명하고 너그러웠던 왕으로 돌아갈 거라고 생각했기 때문이다. 신하들은 샤리

결혼을 하라고? 내가
사랑하고 믿었던 왕비한테
당한 걸 생각하면……. 어휴!
전하, 결혼을 하셔서
행복한 가정을
꾸리셔야…….
홀아비로 늙는
것보다는 나으실
텐데…….
예전의 너그럽고
현명하셨던 왕이
그립구나!

야르 왕에게 간청하고 또 간청했다.

그러던 어느 날이었다. 샤리야르 왕은 신하들을 불러 놓고 이렇게 말했다.

"그대들의 뜻은 잘 알았소. 내 일주일 후에 결혼할 것이니, 신붓감은 그대들이 알아서 정하도록 하시오."

신하들은 뛸 듯이 기뻐했다. 드디어 왕이 정신을 차렸다고 생각한 것이다. 신하들은 온 나라를 뒤져 가장 아름답고 착한 아가씨를 찾기 위해 노력했다.

그동안 샤리야르 왕은 자신의 거처에 틀어박혔다. 음식 시중을 드는 하인의 말에 따르면 하루 종일 무언가를 골똘히 생각만 하고 있다고 했다. 신하들은 왕의 기이한 행동에 일말一抹의 불안감을 느꼈지만 애써 머릿속에서 지우려 했다. 예전의 용맹하고 현명했던 왕으로 돌아올 거라는 희망을 가진 채 말이다.

드디어 운명의 결혼식날이 되었다. 신부와 나란히 선

일말(一抹) : 한 번 칠한다는 뜻으로, '약간'을 이르는 말. 주로 '일말의' 꼴로 쓰임.

샤리야르 왕은 신에게 기도했다.

'알라신이시여, 저는 이제 세상의 어떤 여자도 믿지 못하겠습니다. 이 세상의 여자란 여자는 모조리 사라져 버렸으면 좋겠다는 게 저의 소원입니다. 오늘 혼례를 치르는 신부는 물론 앞으로 저와 결혼하는 여자는 모두 이튿날 죽게 될 것입니다.'

샤리야르 왕은 이 세상에 믿을 여자는 하나도 없다며 자기와 결혼하는 여자를 이튿날 모두 죽이겠다고 기도하는 것이 아닌가!

샤리야르 왕이 그런 끔찍한 생각을 하는지도 모르는 채 신하들과 백성들은 왕의 결혼을 진심으로 축복했다.

샤리야르 왕은 알라신에게 한 맹세대로 결혼식을 치른

: 거짓이 없는 참된 마음.

이튿날 아침 대신을 불러 신부를 죽이라고 명령했다. 왕의 명령을 거역할 수 없었던 대신은 하는 수 없이 신부를 죽여야 했다.

왕의 끔찍한 맹세는 3년 동안이나 이어졌다. 왕은 여전히 결혼식을 올리고는 이튿날이면 어김없이 신부를 죽였다. 그동안 샤리야르 왕이 죽인 신부의 수는 셀 수도 없을 지경이었다.

왕을 원망하는 백성들의 목소리는 하늘을 찌를 듯했다. 나라 안의 결혼할 나이가 된 처녀들은 두려움에 눈물을 흘렸고, 부모들은 딸들을 데리고 다른 나라로 도망쳤다. 마침내 온 나라 안에 왕에게 바칠 처녀가 없는 지경에 이르렀다.

왕의 명령을 받들어 매일 신부를 왕에게 바쳐야 하는 대신의 슬픔과 근심은 이만저만이 아니었다. 대신은 매일 밤 한숨으로 밤을 지새웠다.

"아버지, 무엇 때문에 주무시지도 못하고 고민을 하시는 거예요?"

큰딸 세헤라자데가 물었다.

"오늘 왕에게 신부를 데려가야 하는데, 나라 안에 처녀가 하나도 없어 큰일이구나. 이제 곧 왕이 신부를 데려오라고 할 텐데 어쩌면 좋단 말이냐?"

"아버지, 지금 같은 일이 계속되면 왕은 물론 온 나라의 백성들 모두 불행에 빠지고 말 거예요."

"휴, 그러게 말이다. 그런데 방법이 없구나."

세헤라자데는 잠시 무언가를 생각하더니 진지한 표정으로 입을 열었다.

"아버지, 저를 오늘 샤리야르 왕에게 바치세요."

"뭐라고, 널 바치라고?"

대신은 깜짝 놀랐다.

사랑하는 딸이 스스로 죽으러 가겠다니!

대신은 절대 안 된다며 세헤라자데를 말렸다. 그러나 세헤라자데의 고집을 꺾을 수는 없었다.

"아버지, 걱정 마세요. 저는 반드시 살아 남을 거예요. 그리고 불행에 빠진 왕과 이 나라의 백성을 구할 거예요.

아버지, 제가
샤리야르 왕의
신부가 되겠어요.
네 발로 호랑이굴로
들어가겠단 말이냐?

절 믿으세요."

"그렇지만, 애야……."

대신은 세헤라자데의 굳은 의지를 꺾을 수 없었다.

세헤라자데는 동생 디나자드를 불러 조용한 목소리로 한 가지 당부를 했다.

"디나자드, 내 말 잘 들어. 내가 결혼식을 올린 뒤에 널 부를 거야. 그러면 너는 나에게 재미있는 이야기를 들려 달라고 하는 거야."

"그런데 언니, 왕이 이야기를 하도록 허락을 하실까?"

"허락하시도록 해야지. 그러니 너는 잠들면 절대 안 돼! 알았지?"

"알았어, 언니!"

"꼭 명심해! 그래야만 나도 살고 너도 살아."

세헤라자데는 동생 디나자드에게 신신당부를 한 뒤 아리따운 신부의 모습으로 치장을 했다. 대신은 세헤라자데를 데리고 왕궁으로 갔다.

샤리야르 왕은 처음에는 세헤라자데를 신부로 맞이하

지 않으려 했다. 가장 아끼는 신하의 딸을 차마 죽일 수는 없었기 때문이다.

그러나 세헤라자데는 절대 자신의 뜻을 굽히지 않았다. 결국 세헤라자데는 왕과 결혼식을 올리고 침실로 향했다. 한밤중이 되자 아름다운 신부가 훌쩍이기 시작했다.

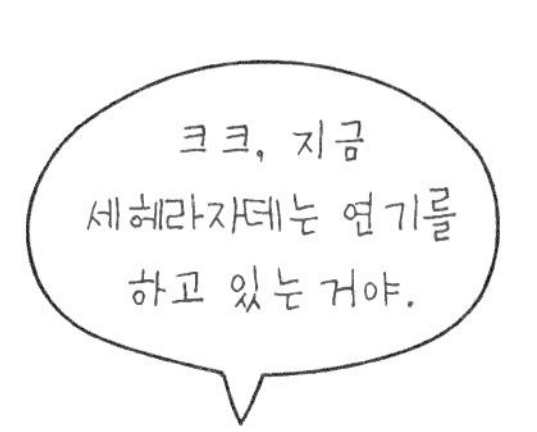

"내일이면 죽는 게 두려워 그러느냐?"

"아니옵니다."

"그게 아니라면 뭣 때문에 우는 게냐?"

"왕이시여, 제게는 소원이 하나 있습니다. 저는 지금껏 제 동생 디나자드와 한 번도 떨어져 지낸 적이 없사옵니다. 이렇게 처음으로 동생과 떨어져 혼자 지내게 되니 너무 두렵습니다. 오늘 하룻밤만 제 동생과 함께 지낼 수 있게 해 주십시오."

샤리야르 왕은 세헤라자데의 간청을 흔쾌히 허락했다. 어차피 내일이면 죽을 사람인데다가 자기가 아끼는 대신의 딸이니 마지막 소원쯤은 들어줄 수 있었다.

왕의 명령으로 디나자드가 도착하자 두 자매는 서로 끌어안고 눈물을 흘렸다. 눈물이 서서히 잦아들자 디나자드는 세헤라자데에게 이야기를 해 달라고 조르기 시작했다.

"언니, 오늘이 우리가 함께 지낼 수 있는 마지막 날이야. 언니의 재미난 이야기를 더 이상 들을 수 없어서 슬퍼. 마지막으로 가장 재미있는 이야기 하나만 해 주면 안 될까?"

'내일이면 죽을 언니에게 이야기를 해 달라니?'

샤리야르 왕은 의아했다.

세헤라자데는 책에서 읽은 수많은 이야기를 기억하고 있었다. 이야기들은 모두 재미있었고 또한 삶의 교훈教訓이 담겨 있었다. 그 이야기를 샤리야르 왕이 듣고 교훈을 얻는다면 분명 예전의 너그럽고 현명한 왕으로 돌아올 거라는 것이 세헤라자데의 생각이었다.

"그러고 보니 아직 너에게 해 줄 이야기가 많이 남았구

교훈(教訓) : 앞으로의 행동이나 생활에 지침이 될 만한 가르침.

나. 만약 전하께서 허락하신다면, 그중 가장 재미있는 이야기를 하나 해 줄게."

"어디 재미있는 이야기가 무엇인지 들어나 보자꾸나."

샤리야르 왕은 얼른 승낙했다. 자신도 세헤라자데가 무슨 이야기를 할지 궁금했던 것이다. 세헤라자데는 미리 준비해 놓은 이야기를 하기 시작했다.

그렇게 샤리야르 왕의 마음의 상처를 치유治癒하기 위한 1001일 동안의 길고도 환상적인 이야기가 시작되었다. 맨 처음 이야기는 어부와 마신의 이야기였다.

치유(治癒) : 치료하여 병을 낫게 함.

2장
어부와 마신 이야기

옛날, 아주 먼 옛날에 물고기를 잡아 하루하루 살아가는 늙고 가난한 어부가 있었다. 그 어부는 무슨 일이 있어도 하루에 꼭 네 번만 그물을 쳤다. 그 이상한 습관은 하루도 빠짐없이 지켜졌다.

가난한 어부가 또 빼놓지 않는 하루 일과가 있었는데, 그건 바로 매일 아침마다 알라신에게 기도를 올리는 일이었다.

"알라신이시여, 제발 우리 가족이 배불리 먹을 정도로 많은 물고기를 잡게 해 주십시오."

신은 그 기도를 듣지 못했는지 어부가 잡아 올리는 건

고기 몇 마리뿐이었다. 보통 사람 같으면 신을 원망도 하련만 어부는 매일같이 신에게 기도했다.

그날도 기도를 마친 어부는 아침 햇살이 퍼지는 바다로 노를 저어 나갔다.

'오늘은 날씨가 좋은걸. 왠지 예감이 좋아. 그물이 가득 차도록 물고기를 잡을 수 있을 것만 같군.'

어부는 첫 번째 그물을 힘차게 던졌다. 그런데 건져 올리려는 그물이 묵직한 게 아닌가!

"알라신이 마침내 내 기도를 들어주셨어!"

어부는 하늘을 날 듯이 기뻤다. 무거운 그물을 건져 올리는데도 하나도 힘들지 않았다. 있는 힘을 다해 그물을 건져 올렸다.

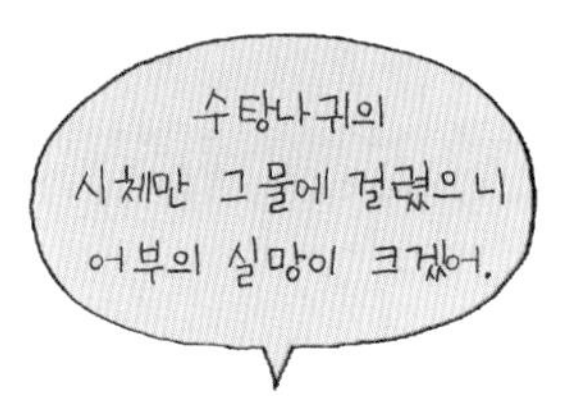

그런데 이게 어찌 된 일인가!

그물에는 고기는 한 마리도 없고 수탕나귀의 시체만 들어 있었다. 맥이 쭉 빠진 어부는 긴 한숨을 내쉬었다.

그러나 한숨만 쉬고 있을 수는 없었다. 집에서 자신을 기다리는 부인과 세 딸을 위해서라도 어서 다시 그물을 던져야 했다. 어부는 그물에서 수탕나귀 시체를 치운 다음 두 번째 그물을 던졌다.

"알라신이시여, 제발 도와주십시오!"

두 번째 그물은 첫 번째 그물보다 더 무거웠다. 어부는 잔뜩 긴장한 표정으로 그물을 끌어 올렸다. 두 번째 그물에 걸린 것은 진흙이 잔뜩 든 커다란 단지였다. 실망이 이만저만이 아니었다.

세 번째 그물에는 죽은 조개만 그득 차 있다고? 오늘 어부의 운이 좋지 않은 날이군.

희망을 품고 세 번째 그물을 던졌다. 이번에는 온갖 조개들이 그물에 담겨 있었다. 혹시 먹을 수 있을까 해서 살펴보았다.

그러나 조개껍데기 안에는 살 대신 모래만 그득 차 있었다. 모두 죽은 조개였던 것이다. 시간은 점점 흘러 가고 있었다.

낙심落心한 어부는 알라신에게 기도했다.

"신이시여, 이제 해가 져 갑니다. 그리고 오늘 그물을 던질 기회는 한 번밖에 남지 않았습니다. 제발, 저에게 자비를 베풀어 주십시오."

기도를 마친 어부는 마음속으로 중얼거렸다.

'실망하지 말라고! 아직 한 번의 기회가 남았잖아. 이번에 던진 그물에는 물고기가 가득 차 있을 거야. 우리 다섯 식구가 실컷 먹고도 남을 만큼 많이 잡아서 시장에 내다 팔아 큰돈도 벌고……, 그러고도 물고기가 남으면 어떡하지?'

어부는 부푼 희망을 안고 바다를 향해 힘차게 그물을 던졌다. 마지막으로 던진 그물을 끌어 올리려니 정말로 무거웠다. 아무리 힘을 주어 잡아당겨도 꿈쩍도 하지 않았다. 어부는 할 수 없이 바다로 뛰어들었다.

바다 밑바닥까지 내려가자 그물에는 낡은 상자가 걸려

낙심(落心) : 바라던 일이 이루어지지 아니하여 마음이 상함.

있는 것이 보였다. 낙심한 어부는 그물만이라도 걷어 가려고 했지만 상자에 그물이 뒤엉켜 풀리지 않았다. 어부는 죽을 힘을 다해 그물을 끌고 바다 위로 올라왔다.

다시 배 위로 올라온 어부는 한숨을 돌리고는 낡은 상자를 열어 보았다. 그 안에는 구리로 된 단지가 들어 있었다. 안에 무엇이 들어 있는지 단지 주둥이 뚜껑은 납으로 단단히 봉해져 있었다.

어부는 묵직한 단지 안에 무엇이 들었는지 궁금해 견딜 수가 없었다.

'혹시 보물이라도 든 건 아닐까? 그럼 저 안에 혹시 금화가? 아니면 보석이?'

흥분한 어부는 덜덜 떨리는 손으로 단지 뚜껑을 칼로 뜯은 뒤 조심스럽게 열었다.

"어이쿠!"

깜짝 놀란 어부는 엉덩방아를 찧으며 주저앉았다.

단지 안에서 한 줄기 연기가 피어오르더니 하늘로 솟구쳤다. 하늘로 솟구쳐 올라가던 연기는 점점 하나로 뭉쳐

몇 백 년 만의 세상 구경이냐!
두둥~
쿠오오~
흐어헉
저, 저건 마신 아냐?

지더니 마신으로 변하는 것이 아닌가!

마신의 덩치는 엄청나게 컸다. 머리가 하늘에 닿을 듯 했다. 얼굴은 무척 험상궂어 보였다. 어부는 두려움에 온몸을 부들부들 떨었다.

'이럴 수가! 이제 마신의 손에 죽게 생겼구나. 열어 보지 말 걸. 괜한 욕심에…….'

그런데 마신이 갑자기 어부 앞에 무릎을 꿇고는 비굴卑屈한 목소리로 말했다.

"아, 위대하신 솔로몬 왕이시여. 다시는 반항하지 않겠습니다. 제발 한 번만 용서해 주십시오."

어부는 어리둥절했다. 덩치가 산만 하고 험상궂게 생긴 마신이 자기 앞에서 무릎을 꿇고 애처롭게 손까지 비비는 모습에 웃음이 나오기까지 했다. 겁이 달아난 어부는 마신에게 말했다.

"무슨 말입니까, 마신이여. 당신이 말한 솔로몬 왕은

비굴(卑屈) : 용기나 줏대가 없이 남에게 굽히기 쉬움.

이미 돌아가신 지 오래되었습니다."

마신은 고개를 번쩍 쳐들더니 주변을 둘러보았다.

"엥, 여기가 어디지?"

자신이 있는 곳이 바다 위이고, 자신 앞에 있는 것은 늙은 어부라는 것을 안 마신은 슬그머니 일어섰다. 방금 전의 비굴했던 자신의 태도가 민망했던지 짐짓 근엄한 표정을 하고 입을 열었다.

"나는 옛날 위대하신 솔로몬 왕의 명령을 거스른 마신이다. 그래서 그 벌로 이 단지에 갇혀 지금껏 어둠 속에서 지냈다. 그러다 너의 도움으로 드디어 세상으로 나오게 된 것이다."

마신은 어부를 슬쩍 보더니 미소를 띠며 말을 이었다.

"나는 너에게 큰 상을 내릴 것이다. 그건 바로……."

상이라는 말에 어부는 침을 꼴깍 삼켰다.

솔로몬 왕은
이스라엘 왕국의 제3대
왕이야. 지혜가 뛰어난 왕으로
유명해 뛰어난 지혜를
'솔로몬의 지혜'라고
한단다.

그러나 마신의 다음 말은 너무도 충격적이었다.

"나는 너를 아무 고통 없이 한 번에 죽여 주겠다. 전혀 아프지 않게 말이다. 너는 아마 죽는지도 모를 것이다. 눈을 한 번 깜빡이고 나면 이미 하늘나라에 가 있을 게다."

어부는 놀라 소리쳤다.

"아니, 상을 주신다면서요! 그런데 죽이겠다니요? 그런 법이 세상에 어디 있단 말입니까."

"그것도 다 너의 운이니 네 운을 탓해라! 솔로몬 왕 때문에 저 단지에 갇힌 뒤 나는 100년 동안 생각하고 또 생각했다. 나를 구해 주는 사람은 한 나라의 왕이 되도록 해 주겠다고 말이다. 그러나 아무도 나타나지 않았다. 그래서 다음 100년 동안 생각했다. 나를 구해 주는 사람에게 세상에서 가장 귀한 보물이 묻혀 있는 곳을 알려 주겠다고. 그러나 역시 나타나지 않았어. 그리고 또 100년 동안 생각했다. 나를 구해 주는 사람에게는 세 가지의 소원을 들어주겠다고 말이다. 그러나 아무도 나를 구해 주지 않았어, 아무도!"

왜 이렇게 늦게 꺼내 준 거야? 답답해 죽는 줄 알았잖아!
그게 내 탓이냐? 순 억지!
괜히 열었어!
법대로 해라!

마신은 지금 생각해도 원통하다는 듯 씩씩거렸다.

"나는 너무 화가 나 견딜 수가 없었어. 그래서 100년 동안 다짐하고 또 다짐했지. 나를 구해 주는 사람은 꼭 죽이고야 말겠다고. 나를 너무 늦게 구해 준 죄로 말이다!"

어부는 어처구니가 없었다. 이제라도 구해 준 것을 고마워해야 당연한 일 아닌가.

"은혜를 원수로 갚다니, 이건 말이 안 됩니다. 마신님, 제가 꺼내 주지 않았다면 마신님은 지금까지도 저 바닷속에 있을 거 아닙니까?"

마신, 은혜를
원수로 갚으면
하늘에서 큰 벌을
내릴 거야.

"시끄러! 입 닥치고 어떻게 죽고 싶은지 그것만 말해!"

어부는 달래도 보고 애원도 해 보았지만 마신은 들은 체도 하지 않았다.

'아, 나는 단지 물고기 몇 마리를 바랐을 뿐인데, 이렇게 허무하게 죽게 되다니. 나를 목이 빠지게 기다리는 부인과 세 딸들은 앞으로 굶기를 밥 먹듯이 하게 생겼구나.

대체 어찌하면 좋단 말인가.'

그때 어부의 눈에 마신이 나왔던 단지가 들어왔다. 순간 어부의 머릿속에 묘안(妙案)이 떠올랐다.

마신은 어부가 무슨 생각을 하는지 꿈에도 모른 채 거드름을 피우며 말했다.

"자, 너는 어차피 죽어야 할 몸이다. 이제 죽음을 받아들이고 이 세상에서의 마지막 기도라도 올려라."

마신이 어부를 향해 무지막지하게 커다란 손을 치켜들었다. 한 발짝 뒤로 물러난 어부가 다급히 입을 열었다.

"마신이여, 당신의 말은 잘 알아들었습니다. 그러나 죽기 전에 마지막 소원 하나만은 들어주십시오."

"그게 뭔데? 살려 달라는 말만 아니면 한 번 생각해 보겠다."

어부는 얼른 단지를 가리켰다.

"마신님, 당신은 이 단지에서 나오셨죠?"

묘안(妙案) : 뛰어나게 좋은 생각.

"그렇지, 저 지긋지긋한 단지!"

"그런데 마신님의 몸은 지금 제 배보다 훨씬 크지 않습니까. 저 단지는 제가 들어가기도 힘들 정도로 작고요. 저 단지에는 마신님의 손 하나 발 하나도 못 들어갈 것 같은데 도대체 어떻게 저기서 나오셨는지 도무지 이해가 되지 않습니다."

"몸의 크기를 늘렸다 줄였다 하는 것은 마신의 기본적인 능력이라는 것도 모르는구나. 게다가 나는 특별히 능력이 뛰어난 마신이어서 그런 건 식은 죽 먹기다."

"아무리 그래도 전 믿을 수 없습니다. 내 두 눈으로 직접 보기 전에는요."

"이런 어리석은 인간 같으니라고. 그럼 한 번 내 능력을 보아라."

마신은 눈을 감더니 주문을 외기 시작했다. 그리고 몸을 한 번 흔들자 연기로 변한 마신이 단지로 들어가는 게 아닌가. 연기는 순식간에 단지 안으로 빨려 들어갔다.

"어떠냐, 이것이 바로 내 능력……."

아브다 꿍따리 삐리삐리 바바~
고오오
슈ㅡ슉
마신이 덩치만 컸지 머리는 나쁘군.

마신이 말을 채 마치기도 전에 어부는 단지 뚜껑을 얼른 틀어막았다.

깜짝 놀란 마신이 단지 안에서 발버둥을 쳤지만 단지는 꿈쩍도 하지 않았다. 어부는 단지를 들고는 뱃머리 쪽으로 갔다.

"이제 너는 두 번 다시 햇빛을 볼 수 없을 것이다. 내가 너를 바다에 처넣어 버린 뒤에 온 마을에 소문을 낼 거거든. 바다 밑바닥에 단지에 갇힌 마신이 있다고. 그놈은 은혜를 원수로 갚는 배은망덕背恩忘德한 놈이어서 구해 준 사람을 죽이려 하니 단지 근처에는 얼씬도 하지 말라고 말이다."

단지 속의 마신은 그 말을 듣자 소리를 치며 애걸복걸哀乞伏乞했다.

"어부여, 제발 부탁이니 나를 다시 풀어 다오. 그럼 내

배은망덕(背恩忘德) : 남에게 입은 은덕을 저버리고 배신하는 태도가 있음.
애걸복걸(哀乞伏乞) : 소원 따위를 들어 달라고 애처롭게 사정하며 간절히 빎.

가 너에게 왕의 자리와 세상의 모든 보물을 주겠다. 거기다 세 가지 소원까지 들어주겠다. 아니, 다섯 개! 아니, 열 개의 소원을!"

마신은 다시 세상에 나가게 되면 틀림없이 행복하게 해 주겠다며 애원했다.

"흥, 거짓말!"

어부는 콧방귀를 뀌며 말했다.

"지금 너는 현자賢者 두반을 배신한 유난 왕과도 같은 놈이야!"

"대체 그게 무슨 말이냐? 현자 두반은 누구이며, 유난 왕은 또 누구란 말이냐?"

어부는 뱃머리에 걸터앉아 이야기를 시작했다.

현자(賢者) : 어질고 총명하여 성인에 다음가는 사람.

3장

이야기 속의 이야기

이부가 들려주는 현자 두반과 유난 왕 이야기

마신아, 잘 들어라.

옛날에 유난이라는 왕이 있었다. 그는 온 세상 사람의 존경을 한 몸에 받는 현명하면서도 용감한 왕이었다. 그러나 유난 왕은 치명적致命的인 병에 걸려 죽을 날만을 기다리는 신세였지. 온몸에 문둥병이 퍼졌거든.

온 나라의 난다 긴다 하는 의사들이 유난 왕의 문둥병을 낫게 하기 위해 몰려들었어. 정성껏 유난 왕을 치료했

치명적(致命的) : 생명을 위협하는. 또는 그런 것.

지만 아무 소용이 없었지.

그러던 어느 날이었어. 두반이라는 사람이 유난 왕의 왕궁이 있는 도시에 나타났어. 그는 정말 대단히 박식博識한 사람이었지. 그리스, 페르시아, 로마, 아라비아 어로 된 온갖 책을 읽었고, 철학, 천문학 등에도 통달通達한 사람이었거든.

그중에서도 가장 대단한 건 병과 약초에 대한 지식이었어. 풀을 슬쩍 한 번 보기만 해도 약초인지 독초인지 단박에 알았지. 게다가 약초를 달여 먹어야 할지, 태워서 상처에 붙여야 할지, 아니면 생으로 씹어 먹어야 할 것인지도 모두 알았어. 그래서 사람들은 그를 현자라고 불렀어.

왕의 병에 대한 소문을 들은 현자 두반은 곧바로 왕궁으로 향했어. 왕궁에도 두반의 소문이 퍼져 있었기에 그는 유난 왕을 어렵지 않게 만날 수 있었지.

박식(博識) : 지식이 넓고 아는 것이 많음.
통달(通達) : 사물의 이치나 지식, 기술 따위를 훤히 알거나 아주 능란하게 함.

두반은 유난 왕 앞에 무릎을 꿇고 말했어.

"왕이시여, 이 도시를 지나던 중 전하께서 병으로 고생하신다는 이야기를 들었습니다."

유난 왕은 그동안 수없이 많은 의사들이 다녀간 터라 별로 기대도 하지 않았어. 그래서 시큰둥하게 물었지.

문둥병은 '나병'을
낮잡아 이르는 말이야.
나병균에 의해 전염되는
만성 전염병이지.

"그래서 자네가 내 문둥병을 고칠 수 있단 말인가? 그럼 대체 또 어떤 쓴 약을 먹어야 한단 말인가? 아니면 고약한 냄새가 나고 바늘로 찌르는 듯이 따가운 약초를 내 몸에 바를 텐가? 그것도 아니라면 내 몸의 나쁜 피를 뽑겠다며 칼을 들이대겠지. 두반이여, 이미 나는 치료를 받을 만큼 받았네. 그러나 용하다고 온 나라에 소문난 의사도 내 병을 치료하지 못했어."

두반은 고개를 들고 단호한 목소리로 장담했어.

"왕이시여, 제 목숨을 걸고 말씀드리겠습니다. 저는 그런 방법은 전혀 쓰지 않겠습니다. 그리고 단 하루 만에 병을 낫게 하겠습니다."

두반의 말에 왕궁의 모든 사람이 깜짝 놀랐지. 뭐니 뭐니 해도 가장 놀란 사람은 바로 유난 왕이었어. 왕은 아픔도 잠시 잊고 두반을 바라보았지.

"정말이냐? 만약 네 말이 사실이라면 너에게 세상 어디에서도 볼 수 없는 귀한 보물을 하사下賜하겠다. 그리고 너를 나의 영원한 스승으로 모시겠다. 그러니 다시 한 번 말해 다오. 내 병을 정말 낫게 할 수 있단 말이냐?"

"네, 낫게 할 수 있습니다."

유난 왕은 기쁨에 겨워 목소리까지 떨렸다.

"현자 두반이여, 그럼 말해 보아라. 대체 얼마만큼의 시간이 지나야 내가 나을 수 있단 말인가?"

두반은 침착하게 대답했다.

"저에게 하루의 시간만 주십시오. 그럼 전하께옵서는 내일이면 건강해지실 것입니다."

하사(下賜) : 임금이 신하에게, 또는 윗사람이 아랫사람에게 물건을 줌.

하루 만에 문둥병을
어떻게 낫게 한다는 거지?
그러게 말입니다. 목숨이
아깝지도 않은가 봐요.
쯧쯧, 아까운
목숨 하나 날아가게
생겼군.
하루만 제게
시간을 주시면
병을 낫게 해
드리겠습니다.
내 병을 낫게만
해 준다면 내 너를
스승으로 모시겠다.

유난 왕은 얼른 병사를 불러 모아 두반이 필요하다고 하는 약초를 구해 오도록 명령을 내렸어. 두반은 병사들이 약초를 구해 오자 잘게 썬 뒤 한데 모아 절구에 빻았지. 그러자 끈적한 즙이 생겨났어. 두반은 끈적한 즙을 속이 빈 막대기 안에 넣고는 막대기 끝에 손잡이를 달았어. 공도 하나 만들고.

이튿날 두반은 유난 왕을 넓디넓은 들판으로 모시고 갔어. 그러고는 막대기와 공을 유난 왕에게 바치며 이렇게 말했지.

"왕이시여, 이 막대기 안에는 전하의 병을 낫게 할 약이 들어 있습니다. 전하께서는 오늘 하루 종일 이곳에서 말을 타고 이 막대기로 공치기놀이를 하셔야 합니다. 손바닥에 땀이 배고 온몸에서 땀이 날 때까지 하셔야 합니다. 그런 다음 뜨거운 물에 목욕을 하신 뒤 푹 주무시면 됩니다."

너무도 간단한 치료법에 유난 왕은 어리둥절했지. 그러나 두반의 확신에 찬 표정을 보자 따를 수밖에 없었어.

그날 유난 왕은 하루 종일 땀을 흘리며 공치기놀이를 했어. 어둑어둑해질 무렵이 되어서야 왕은 두반이 시키는 대로 왕궁으로 돌아와 뜨거운 물에 목욕을 하고 곧 잠자리에 들었지. 지금껏 한 번도 경험하지 못한 달콤한 잠이었어.

이튿날 눈을 뜬 유난 왕은 깜짝 놀랐어. 짓물렀던 피부가 백옥같이 깨끗해진 거야. 지금껏 자신을 괴롭히던 문둥병이 씻은 듯이 사라지자 유난 왕은 기쁨에 겨워 신발도 신지 않은 채로 두반이 머무는 곳으로 달려갔어. 두반은 물론 그 모든 일을 예상하고 왕을 맞을 준비를 하고 있었지.

"이렇게 기쁘게 오신 걸 보니 병이 다 나으셨군요."

"두반이여, 자네는 정말 최고의 현자로다! 이제 내 옆에서 나를 도와 다오. 자네가 하는 말이라면 모두 다 들을 것이다!"

백옥: 빛깔이 하얀 옥.

유난 왕은 두반에게 진귀한 선물을 내려 주고 그날 이후 늘 두반을 옆에 두었어. 모든 나랏일을 두반에게 물어보고 그가 시키는 대로 했지. 나라 안팎의 모든 일들은 술술 잘 풀렸어. 그럴수록 유난 왕은 두반을 더욱 아꼈지.

시기는 자신의
화살로 자기를 죽이는
일이라는 걸 모르는
모양이군.

그러나 좋은 일에는 늘 마(魔)가 낀다고 했던가. 두반을 시기하는 신하들이 하나둘 생겨나기 시작한 거야. 특히 유난 왕의 총애를 받아 왔던 대신의 시기는 말할 수 없을 정도였지. 그러다 결국 일이 벌어졌어.

어느 날 대신은 유난 왕 앞에 나가 무릎을 꿇고 눈물을 펑펑 흘렸어. 갑작스러운 대신의 행동에 유난 왕은 놀라 물었지.

"왜 그러느냐? 왜 갑자기 눈물을 흘린단 말이냐?"

마(魔) : 일이 잘되지 아니하게 해살을 부리는 요사스러운 장애물.

"전하께서 노해 저를 죽일 게 틀림이 없기에 이렇게 눈물을 흘리는 것입니다."

"그게 대체 무슨 말이냐? 내가 왜 너를 죽인단 말이냐?"

"제가 드리는 말을 들으시면 분명 노하실 것이기 때문입니다. 그러나 저는 전하의 충성스러운 신하입니다. 그깟 죽음이 두려워 입을 다물 수는 없습니다. 지금 제가 하는 말이야말로 전하께 가장 필요한 말이기 때문입니다."

유난 왕이 나처럼
현명한 왕이라면 대신의
말을 절대 믿지 않을
텐데 말이지!

대신은 결연한 표정으로 말했어. 물론 속으로는 벌벌 떨었겠지. 자기 계획이 잘못돼서 혹시나 정말 죽으면 어떡하나 해서 말이야.

그러나 유난 왕은 용맹하고 훌륭한 왕이긴 했지만 총명함이랑은 조금 거리가 멀었어. 그는 대신의 속마음을 눈치채지 못하고 흥분해서 입을 열었어.

"아무 걱정 마라, 대신이여. 내 지금 알라신에게 약속하마. 네가 어떤 말을 하더라도 죽이지 않겠다고. 그러니 한 번 이야기해 보아라."

대신이 가장 바라던 말이었지. 대신은 그제야 준비했던 말을 내뱉었어.

"왕이시여, 제가 바라는 건 단 하나입니다. 현자 두반을 죽이십시오."

그 말에 유난 왕은 깜짝 놀랐어.

두반을 죽이라니!

자신의 지긋지긋한 문둥병을 고쳐 준 그 현자를!

유난 왕은 화가 나 칼을 빼들었어. 그러나 내리치진 못했지. 자신이 알라신에게 맹세한 말이 있었으니까. 유난 왕은 화를 꾹 참고 물어보았어.

"네가 지금 두반을 질투하는 것이냐. 두반이 내 병을 낫게 해 준 나의 은인恩人임을 잊은 건 아니겠지. 더구나 지금 그의 말을 따르면서부터 나라는 더욱 더 살기 좋아지고 있다. 두반은 영토를 나누어 주어도 아깝지 않을 신

은인(恩人): 자신에게 은혜를 베푼 사람.

두반은 나의 은인이다!
네가 지금 두반을 시기하는구나!
저 칼로 내 목을 베면 어쩌지?
시기라니요?
전 시기의 시 자도
모릅니다요.

하이니라. 내가 만약 너의 말을 듣는다면 나는 신드바드 왕이 매를 죽이고 후회한 것처럼 후회할 것이다."

그러자 대신이 물어보았지.

"왕이시여, 그게 무슨 말씀이시옵니까? 그 이야기를 저에게도 들려주시옵소서."

유난 왕은 자리에 앉아 이야기를 시작했어.

신드바드 왕과 매 이야기

먼 옛날, 왕 중의 왕이라고 불리던 신드바드라는 훌륭한 왕이 있었다. 그는 말타기와 사냥을 세상에서 가장 좋아했다. 그에게는 사냥을 갈 때마다 데리고 다니던 매 한 마리가 있었다. 그 매를 얼마나 아꼈는지 매의 목에 황금잔을 걸어 주고 그 황금잔으로 물을 먹일 정도로 아끼고 사랑했다.

그날도 신드바드 왕은 매를 어깨에 앉히고 신하들과 사냥을 떠났다. 사냥할 동물을 찾아 숲 속을 이리저리 헤매고 다니는데 눈처럼 흰 털을 가진 영양 한 마리가 멀리서 뛰어다니는 게 보였다. 왕은 그 영양을 꼭 잡고 싶은 욕심에 사람들에게 크게 외쳤다.

"누구든지 저 영양을 놓치는 사람은 목을 베리라!"

왕의 말에 부하들은 누가 먼저랄 것도 없이 재빨리 영양을 향해 활을 쏘아 댔다. 그러나 영양은 너무 빨라 부하들이 쏘아 대는 화살은 빗나가기 일쑤였다. 부하들은 작전을 바꿔 먼 곳에서부터 원을 둘러싸 영양을 포위(包圍)하기로 했다.

왕과 그의 부하들은 영양을 둘러싼 채 서서히 거리를 좁히기 시작했다. 영양은 재빨리 몸을 피하려 했지만 이미 어디로 가든 죽을 위기에 처해 있었다. 그때 영양은 신드바드 왕을 향해 달려갔다. 왕은 활을 팽팽히 당겨 영양에게 겨누었다.

그런데 이게 어찌된 일인가!

영양이 절이라도 하듯이 앞다리를 가슴 위로 포개는 것

포위(包圍) : 주위를 에워쌈.

이 아닌가. 영양의 뜻밖의 행동에 왕은 얼떨결에 고개를 숙여 그 인사를 받았다. 그 순간 영양은 몸을 홱 돌리더니 쏜살같이 달아나 버렸다. 포위망이 뚫린 것이었다.

신드바드 왕이 허탈한 표정으로 달아나는 영양의 뒤꽁무니를 바라보는데 신하들이 서로 눈짓을 하며 수군거리는 소리가 귀에 들려왔다.

아무리 왕이라고
해도 자신이 내뱉은
말은 지켜야겠지?

"전하께서는 저 영양을 놓치는 사람은 목을 베겠다고 하시지 않았나?"

"그런데 본인이 저 영양을 놓쳤으니 어떡한담."

"왕의 명령은 반드시 지켜야 하는 것이 아니었던가. 아무리 그것을 어긴 게 왕 자신이라도 말이야."

그 말에 신드바드 왕은 얼굴이 붉으락푸르락해지더니 영양의 뒤를 쫓아 전속력으로 말을 몰았다.

"내 저 영양을 잡기 전까지는 절대 왕궁으로 돌아가지 않으리라!"

신드바드 왕은 신하들을 내버려 두고 영양을 뒤쫓기 시작했다. 단지 왕이 아끼는 매만이 왕과 함께였다. 왕은 영양을 쫓아 나무가 우거진 숲 속을 한참을 달렸다.

어느 산기슭에 이르렀을 때 동굴 쪽으로 달려가는 영양의 모습이 보였다. 왕은 그 기회를 놓치지 않고 매를 영양에게 날려 보냈다. 지금껏 왕과 수많은 사냥을 함께 한 매는 날쌔게 날아가 영양의 눈에 발톱을 박았다.

눈이 먼 영양이 제자리에서 맴도는 동안 왕은 화살을 꺼내 들어 활시위를 팽팽히 당겼다. 그러고는 숨을 가다듬고 영양을 향해 화살을 날렸다. 화살은 정확히 영양을 맞췄고, 결국 영양은 쓰러졌다.

왕은 영양의 가죽을 벗겨서 안장에 매달았다. 신하들에게 영양을 잡았다는 증거를 보여 주어야 했기 때문이다. 자신의 임무를 마친 매는 차분히 왕의 어깨에 내려앉았다. 왕은 매의 목덜미를 쓰다듬으며 크게 기뻐했다.

"역시 내가 아끼는 매로세. 네 덕분에 내 체면이 섰다."

의기양양해진 왕은 서둘러 신하들이 있는 곳으로 돌아

가려 했다. 그러나 벌써 시간은 점심 때가 되어 해가 가장 강하게 내려쬐고 있었다.

왕은 자신은 물론 말도 갈증을 느낄 거라 생각하고 산을 돌아다니며 물을 찾아 헤맸다. 왕은 타는 듯이 목이 말랐다. 그러나 어디에서도 물을 구할 수가 없었다. 왕은 금방이라도 쓰러질 것만 같았다.

그때 신드바드 왕의 눈에 나무 한 그루가 눈에 띄었다. 그 나무의 나뭇가지에서는 맑은 이슬이 한 방울씩 떨어지는 게 아닌가! 왕은 얼른 달려갔다.

왕은 매에게 물을 먹이던 작은 황금잔에 그 이슬을 받기 시작했다. 한 방울, 두 방울……. 긴 시간이 흐르고 겨우 잔에 물이 차자 왕은 황급히 잔을 입에 가져갔다. 그런데 하늘을 날던 매가 갑자기 내려와 날개로 잔을 쳐 물은 모두 엎질러지고 말았다.

왕은 목이 마른 매가 자기에게 먼저 물을 달라는 뜻인 줄 알고 다시 물을 받아

두 번째 잔을 매에게 주었다. 매는 이번에는 발톱으로 황금잔을 차 버렸다.

화가 난 왕은 물을 받아 이번에는 말에게 주었다. 그러자 매는 이번에도 날개를 퍼득여 물을 엎어 버렸다.

왕은 분노에 차 소리쳤다.

"매야, 이 못된 매야! 내가 너를 얼마나 아꼈는데 왜 이런단 말이냐? 네놈이 뭔데 아무도 물을 못 먹게 하느냐 말이다! 한 번만 더 그리하면 가만두지 않겠다."

화가 머리끝까지 치민 왕은 칼을 휘둘러 대며 소리치고는 한 손에 칼을 든 채 다른 한 손으로는 황금잔에 물을 받기 시작했다. 드디어 잔이 다 차 왕이 입으로 가져가려 하자 매는 왕을 향해 날아들었다. 매가 날개로 잔을 친 그 순간 왕은 칼을 내리쳐 매의 날개를 잘라 버렸다.

"억울하다 생각하지 마라. 이것이 모두 네가 불러온 일이니까."

매는 숨을 헐떡이면서 머리를 들어 나무 위를 가리켰다. 나무 위에는 수많은 독사 떼가 줄기마다 휘감겨 매달

내 그리도 너를
아꼈거늘, 날
원망하지 마라.
저 나무 위를 좀
보시라니까요!

려 있었다.

독사의 벌려진 입에서는 맑은 독이 흘러내리고 있었다. 한 방울 두 방울 떨어지던 것은 물이 아니라 독사의 독액(毒液)이었던 것이다.

"아뿔사! 물이 아니라 독이었어."

아, 물이 아니고
독이라서 매가 잔을 엎은
거였어. 그런 매를
죽였으니…….

왕은 매를 안은 채 말에 올라타고는 전속력으로 말을 몰았다. 한시라도 빨리 매를 치료하려는 생각에 목마름도 잊은 뒤였다. 영양을 쫓을 때와는 반도 안 되는 시간에 왕은 사냥터에 도착했다.

"어서 매를 치료할 의사를 불러오너라."

왕은 의사를 다급히 불러 매를 치료하게 했지만 매를 받아든 의사는 굳은 표정으로 고개를 저었다.

"매는 이미 알라신의 곁으로 가 버렸사옵니다."

독액(毒液) : 독 성분이 들어 있는 액체.

신드바드 왕은 고개를 떨구었다.

'저 매는 내가 영양을 쫓을 때 홀로 따라와 영양을 잡을 수 있게 해 주어 내 목숨을 구했다. 그리고 내가 독을 마시려 했을 때 잔을 쳐서 나를 구해 주었다. 마지막으로 목마름을 잊게 해 무사히 돌아올 수 있게 해 주었다. 매는 이렇듯 세 번이나 나를 구해 주었는데, 나는 그 은혜도 모르고 매를 죽여 버리고 말았구나.'

신드바드 왕은 자신의 어리석음을 탓하며 목을 놓아 울었다. 왕은 그날 이후 다시는 어떤 것에도 즐거움을 느끼지 못했다.

4장
이야기 속의 이야기 속의 이야기

유난 왕은 이야기를 마친 뒤 대신을 바라보았지.

"어떠냐, 잘 들었느냐? 지금 너는 나를 목숨을 구해 준 매를 죽인 신드바드 왕처럼 만들려 하는 것이다. 나더러 은인을 죽이는 몹쓸 짓을 하란 말이냐?"

대신은 매를 죽인 신드바드 왕의 이야기를 듣고 간사한 미소를 지었어. 오히려 그 이야기를 자신에게 유리한 상황으로 만들 수 있는 방법을 떠올렸거든.

"전하께서는 오해로 인해 벌어진 안타까운 이야기를 들려주셨습니다. 제발! 그 이야기를 마음 깊이 새기시옵소서. 왜냐하면 그 이야기 속의 매가 바로 저이기 때문입니다. 저는 위험에 처한 전하를 구하기 위해 이렇게 목숨을 걸고 말을 하고 있습니다. 그것은 제가 자신의 의무를 저버린 채 왕자를 죽이고 왕의 자리를 차지하려 한 간사한 신하가 되고 싶지 않기 때문입니다."

유난 왕은 대신이 하는 말이 궁금해 물어보았어.

"왕의 자리를 차지하려 한 간사한 신하가 되고 싶지 않다니, 그건 또 무슨 말이냐?"

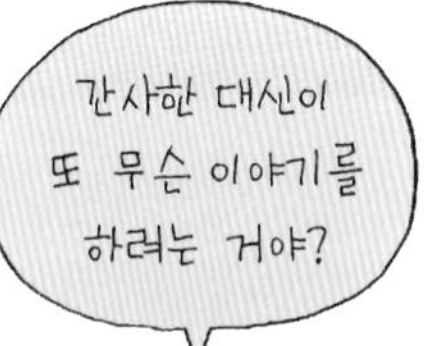

"오, 왕이시여. 제 이야기를 들어 보십시오."

대신은 이야기를 시작했어. 간사한 신하에게 속아 넘어가 목숨을 잃을 뻔한 왕자 이야기였지.

왕자와 요괴 굴라 이야기

옛날 한 왕이 있었다. 그에게는 착하고도 용맹한 아들이 있었다. 왕은 자신의 자리를 이어받을 왕자를 무척 아꼈다.

그러나 왕자에게는 한 가지 단점이 있었다. 그것은 사냥을 너무 좋아한다는 것이었다. 왕자는 사냥을 한 번 시작하면 밥 먹는 것도 잊은 채 잠도 자지 않고 말을 타고 돌아다녔다. 그 때문에 며칠씩이나 왕궁으로 돌아오지 않아 왕을 걱정시켰다.

왕은 혹시나 왕자가 저러다 사고나 당하지 않을까 늘 전전긍긍했다. 그래서 왕은 평소 가장 믿음직하게 여기던 신하를 불렀다.

"내가 신하들 가운데 자네를 제일 믿는다는 것을 잘 알지 않는가. 그러니 내 걱정을 좀 덜어 주게. 왕자는 다음 왕의 자리를 이을 후계자로 모든 것이 완벽해. 그러나 단 하나, 사냥을 너무도 좋아하는 것이 문제로세. 사냥을 나갔다가 큰 변을 당해 목숨이 위태로울까 걱정이 이만저만이 아니야. 그러니 자네가 늘 왕자 곁을 지키며 위험한 일이 생기지 않도록 도와주게."

"걱정하지 마십시오, 왕이시여. 제 목숨을 걸고 왕자님을 지키겠습니다."

신하는 충성의 맹세를 한 뒤 왕궁을 나섰다. 그러나 집으로 돌아가자마자 사악邪惡한 미소를 지었다. 사실 신하는 어느 누구보다 왕의 자리를 탐내고 있었다.

'만약 왕자가 사고를 당해 죽게 된다면, 왕의 자리는 내가 차지해야지. 흐흐흐.'

신하는 몰래 부하를 시켜 세상에서 가장 날쌘 사슴 한 마리를 구했다. 그러고는 왕자를 찾아가 같이 사냥을 가자고 제안했다. 사냥이라면 자다가도 벌떡 일어나는 왕자는 얼른 신하를 따라나섰다.

왕자와 신하가 사냥터에 도착했을 때였다. 멀지 않은 곳에서 사슴이 나타났다. 바로 신하가 몰래 구했던 그 날쌘 사슴이었다. 신하는 얼른 왕자에게 외쳤다.

사악(邪惡) : 자신의 이익을 위하여 나쁜 꾀를 부리는 등 마음이 바르지 않고 악함.

"왕자님, 저 사슴을 잡으십시오. 그럼 아바마마께서 분명 좋아하실 겁니다."

왕자는 신하가 이야기하지 않더라도 그 사슴을 잡을 생각이었다. 그래서 창을 꺼내 들고 사슴에게로 달려갔다. 그러나 그 사슴은 세상에서 빠르기로는 둘째가라면 서러워할 사슴이 아니었던가. 사슴은 왕자의 눈앞에서 사라지고 말았다.

왕자는 사슴을 쫓아 말을 몰려 하다 잠깐 멈칫했다. 너무 멀리 가지 말라는 왕의 말이 떠올랐기 때문이다. 그 모습을 본 신하는 회심의 미소를 지으며 외쳤다.

"왕자님, 어서 쫓으십시오. 괘씸한 저 사슴이 왕자님을 놀리고 있지 않습니까?"

간사한 신하의 말에 자존심이 상한 왕자는 말을 몰아 사슴을 쫓기 시작했다. 신하는 저 멀리 사라지는 왕자의 뒷모습을 바라보며 낄낄 웃었다.

"왕자여, 그곳으로 가다 보면 사람을 잡아먹는 괴물이 나올 것이다. 거기서 괴물에게나 잡아먹혀라. 나는 너 대신 이 나라의 왕이 되겠다."

신하는 말을 돌려 왕궁으로 달려갔다. 왕자가 자신의 말을 어기고 혼자 사슴을 쫓다 길을 잃고 괴물에게 잡아먹혔다는 소식을 전하기 위해서 말이다.

왕자는 한참을 말을 달렸다. 그러나 사슴은 왕자의 눈길이 닿지 않는 곳으로 사라져 버렸다. 낙심한 왕자는 말을 돌려 왕궁으로 돌아가려 했다.

그때 저만치 떨어진 바위 위에 홀로 앉아 울고 있는 여인이 눈에 띄었다. 아리따운 여인을 보자 왕자는 얼른 말에서 내려 다가갔다.

"여인이여, 왜 이런 곳에서 홀로 울고 계신지요?"

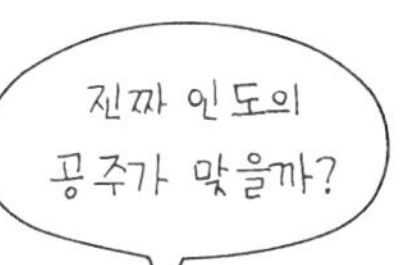

여인은 흐르는 눈물을 닦으며 입을 열었다.

"저는 인도의 공주입니다. 아바마마와 함께 낙타를 타고 여행을 하던 중에 깜빡 졸다가 낙타에서 떨어지고

말았습니다. 일행들은 그런 사실을 알지 못한 채 가 버렸답니다. 저 혼자 일행과 떨어지게 되어 어찌해야 좋을지 몰라 눈물만 흘리던 중이었습니다."

왕자는 측은한 마음에 공주를 도와줘야겠다는 생각이 들었다.

"공주여, 나는 이 나라의 왕자라오. 내가 도와줄 터이니 나를 믿고 내 말에 올라타시오. 나와 함께 갑시다."

왕자는 공주를 태우고 함께 길을 갔다. 두 사람을 태운 말이 어느 낡은 집 앞에 도착하자 공주가 말했다.

"왕자님, 여기서 잠시 머물다 가는 게 어떻겠습니까."

꼭두새벽부터 말을 타고 사냥에 나서 피곤하던 참이었던 왕자도 찬성했다. 왕자가 말을 나무에 묶어 두는 동안 공주는 집 안으로 들어갔다. 왕자가 공주를 따라 들어가려는데, 집 안에서 이상한 이야기가 들려왔다.

"엄마, 배고파!"

"애들아, 조금만 기다려라. 오늘 저녁밥으로 아주 토실토실하고 잘생긴 녀석을 데려왔단다."

인도의 공주님,
저는 이 나라의 왕자랍니다.
제가 공주님을 지켜 드리지요.
뭔가
수상해!
흑흑! 깜빡 잠이 들어
낙타에서 떨어지는 바람에
일행과 헤어졌어요.

역시 인도의
공주가 아니라 왕자를
잡아먹으려는
요괴였군.

왕자는 그 목소리의 정체가 궁금해 가만히 창문으로 다가가 안을 들여다보았다.

그런데 맙소사! 집 안에 있는 건 악명 높은 괴물 굴라와 그의 자식들이었다. 공주로 변한 굴라가 왕자를 잡아먹기 위해 끌고 온 것이었다. 왕자는 얼른 도망쳐야겠다고 생각했지만 다리에 힘이 풀려 꼼짝도 할 수 없었다.

그때 왕자가 들어오지 않는 걸 이상하게 여긴 굴라가 다시 공주로 변해 밖으로 나왔다.

"왕자님, 왜 들어오지 않으십니까. 왜 그렇게 떠시죠? 추우신가요?"

왕자는 겨우 용기를 내서 입을 열었다.

"그게 아니라 갑자기 나를 노리는 무서운 적이 떠올라서 그렇다오."

굴라는 왕자가 자기 이야기를 하는 줄도 모르고 까르르 웃었다.

"아니, 한낱 농부도 아니고 왕자께서 무얼 그리 겁을 내시는 겁니까."

"그 적이 만약 내 재산을 노리는 거라면 겁날 게 없소. 그러나 그 적은 내 목숨만을 노리고 있소."

"그렇다면 알라신께 기도라도 한번 올려 보시죠. 또 누가 알아요. 그 기도를 들어주실지……. 호호호!"

알라신에게 기도를 올리는 일 말고는 달리 해 볼 도리가 없는 왕자는 얼른 무릎을 꿇고 알라신에게 자신을 살려 달라고 간절(懇切)한 기도를 올렸다. 그 기도를 들은 알라신은 그 누구도 왕자를 건드릴 수 없게 해 주었다. 순간 자신의 실수를 깨달은 굴라는 저주의 말을 내뱉으며 자식들을 데리고 도망쳤다.

왕자는 다시는 혼자 사냥을 다니지 않겠다고 다짐하며 왕궁으로 향했다. 거의 왕궁에 다다랐을 때였다. 왕자는 깜짝 놀랐다. 왕궁에서 가장 귀한 사람이 죽었을 때만 내

간절(懇切) : 마음속에서 우러나와 바라는 정도가 매우 절실함.

거는 까만 깃발이 걸려 있는 게 아닌가.

'설마, 아버님이 돌아가신 건가?'

왕자는 두근거리는 가슴을 진정시키며 말에 박차를 가해 왕궁으로 달렸다. 그 깃발이 사실은 자신 때문에 내걸렸다는 사실은 꿈에도 모른 채 말이다.

왕궁에 도착한 왕자를 본 신하들은 모두 깜짝 놀랐다. 그들은 모두 간사한 신하의 말을 믿고 왕자가 죽은 줄로만 알고 있었던 것이다. 왕궁의 신하들은 처음에는 왕자가 귀신인 줄로만 알고 알라신을 부르며 기도했다. 그러나 곧 왕자가 살아 돌아왔다는 사실을 깨닫고는 기쁨에 겨워 왕에게 달려가 이 사실을 고했다.

아들을 잃은 슬픔에 병상에 누워 있던 왕은 그 소식을 듣고 벌떡 일어났다. 왕은 자신 앞에 무릎 꿇은 왕자를 껴안고 뜨거운 눈물을 흘렸다.

"살아 돌아왔구나, 왕자여. 나는 신하의 말만 듣고 네가 죽은 줄로만 알았구나. 왜 멀리 가지 말라는 신하의 말을 무시하고 혼자 그렇게 갔단 말이더냐."

꺅! 귀신이다!
오, 알라신이시여!
왜들 저러는 거지?
내가 죽은 줄 아나?

왕자는 깜짝 놀랐다.

"아닙니다, 아버님. 아버님이 저와 함께 보낸 그 신하가 저에게 계속해서 사슴을 쫓으라고 했습니다. 그래서 저는 괴물 굴라가 있는 그 먼 곳까지 갔던 것입니다."

왕과 왕자는 그제야 신하의 계략計略을 알아챘다. 왕은 얼른 군사를 보내 신하를 잡아 오라고 명령을 내렸다. 왕이 죽을 날만을 기다리던 신하는 영문도 모른 채 군사들에게 잡혀 왕궁으로 끌려왔다. 그리고 왕의 옆에 왕자가 서 있는 걸 보고서야 자신의 계획이 실패했다는 걸 알고 거의 기절할 뻔했다.

왕은 잔뜩 노해 소리쳤다.

"나는 분명 너에게 왕자를 지켜 달라고 부탁했다. 너는 목숨을 걸고 왕자를 지키겠노라 충성의 맹세를 했다. 그 맹세를 어긴 너에게 큰 벌을 내리리라."

왕을 꿈꾸던 신하는 한순간에 지하 감옥 가장 깊숙한

계략(計略) : 어떤 일을 이루기 위한 꾀나 수단.

곳에 갇히는 신세가 됐다. 그는 빛 한 줄기 들지 않는 어두운 감옥에서 자신의 의무를 저버린 걸 뼈저리게 후회하며 죽어 갔다.

어부가 들려주는 유난 왕과 현자 두반과 대신 이야기

대신은 이야기를 마치고 유난 왕을 바라보았어.

"이것이 자신의 의무를 저버린 신하의 이야기입니다. 저는 그 신하처럼 되지 않기 위해서라도 전하께 바른말을 할 것입니다. 두반을 계속 믿다가는 왕께서도 틀림없이 이 왕자와 같은 끔찍한 일을 당하실 것이옵니다. 제발 두반을 죽이시옵소서."

유난 왕,
현자 두반의 은혜를
저버리면 큰 코다친다고!

유난 왕은 이해할 수 없어 대신에게 물어보았지.

"대체 왜 그러느냐? 두반의 능력을 모르는 것이냐? 그는 단지 막대기를 잡고 공치기놀이를 하게 하는 것만으로도 나를 낫게 했다."

"바로 그것이옵니다, 전하. 그는 단순히 전하께 막대기만을 잡게 했습니다. 그리고 그것만으로도 병을 낫게 할 정도로 뛰어난 사람입니다. 그런 그가 만일 전하를 죽이려고 마음만 먹는다면 그것은 또 얼마나 쉽겠습니까?"

그 말에 유난 왕의 등골이 서늘했어. 그도 그럴 것이 유난 왕은 늘 두반과 함께 지내고 있는데 만약 두반이 나쁜 마음을 먹는다면? 그래서 자신에게 독이 발린 무언가를 건넨다면? 아무 의심 없이 잡았다가 바로 하늘나라로 가버릴 수도 있는 거잖아.

유난 왕이 간신의 말을 듣고 두반을 의심하기 시작했어. 한번 의심을 하게 되면 의심은 눈덩이처럼 커질 텐데…….

유난 왕은 문둥병 때문에 평생을 고생한 사람이었어. 그러니 자신의 목숨을 무엇보다 귀히 여겼지. 대신의 간사한 말 한마디 때문에 의심이 똬리를 틀기 시작하자 두반이 자신을 죽일지도 모른다는 생각이 계속 들었어. 그리고 그 생각은 날이 갈수록 눈덩이처럼 불어났지.

'설마 두반이 나를 죽일까? 그는 나를 살렸잖아. 아니야, 살렸으니 죽이기는 또 얼마나 쉽겠어. 그는 사실 우리나라 사람도 아니잖아. 그가 어디서 왔는지 아무도 알지 못해. 만약 두반이 적국의 왕이 보낸 간첩이라면? 그래, 충분히 그럴 수도 있어. 내 병을 낫게 해서 환심을 산 뒤 우리나라를 집어삼키려고. 그래, 맞아! 그럴 수 있어!'

유난 왕은 이제 정말로 두반이 자신을 죽이려 한다고 생각했지. 어떻게 그럴 수 있냐고? 사람의 의심이란 건 그렇게 무서운 것이거든.

결국 대신의 모함에 넘어간 유난 왕은 얼른 군사 수십 명을 현자 두반에게 보냈어. 두반은 수십 명의 군사들이 무기를 들고 들어오는 모습을 보자 모든 걸 눈치챘지.

두반은 군사들에게 끌려 유난 왕 앞에 섰어. 왕은 잔뜩 화가 난 얼굴로 군사들에게 명령했어.

"저놈의 목을 당장 베도록 하라!"

두반은 은혜를 저버린 유난 왕을 그냥 내버려둘 수는 없었어. 그래서 침착하게 물었지.

"왕이시여, 왜 제 목을 베라 하십니까?"

"왜냐고? 그, 그건 네놈이 나를 죽이려 하니까."

"왕이시여, 제가 베푼 은혜를 벌써 잊으셨단 말입니까? 만일 저를 죽이시면 알라신께서도 전하의 생명을 거두어 가실 것입니다."

유난 왕은 두반의 말에 고개를 돌렸어. 두반은 어리석고 못된 자에게 선의를 베푼 걸 후회했지. 두반은 왕의 멍청함에 쓴웃음을 지으며 말했어.

"그렇다면 마지막 저의 소원 하나만 들어주십시오. 죽기 전에 잠시 집으로 돌아가 주변을 정리하게 해 주십시오. 그리고 제게는 세상에 둘도 없는 귀중한 책이 한 권 있는데 그 책을 전하께 드리고 싶습니다. 그 책에는 이 세상의 모든 비밀이 적혀 있습니다. 제가 전하의 병을 고친 것도 그 책에서 본 대로 한 것입니다."

"그런 책이 네게 있단 말이더냐?"

유난 왕은 그 책에 욕심이 났지. 당연하지 않겠어? 세상의 모든 비밀이 적힌 책이라니. 그래서 유난 왕은 두반의 목을 베라는 명령을 잠시 미뤘어. 그러고는 두반과 군사들을 보내 그 책을 가지고 오게 했지.

곧 두반은 책 한 권을 가지고 와서 유난 왕에게 바쳤어. 왕은 얼른 그 책을 펼쳐 보았지. 그런데 책이 너무 낡아서 그런지 책장이 서로 맞붙어 있어 잘 넘어가지 않는 거야. 왕은 손가락에 침을 발라 가며 넘겨 보았지. 그러나 아무것도 씌어 있지 않은 거야. 왕은 불같이 노해 두반을 노려보았지.

"이놈, 네가 지금 나를 놀리는 것이냐? 아무 글씨도 없는 백지白紙 아니냐?"

"조금 더 넘겨 보십시오. 그럼 곧 글씨가 나올 것입니다."

그 말에 유난 왕은 계속해서 책장을 넘겼지. 손가락에 열심히 침을 발라 가며 말이야. 여섯 장까지 넘기고 난 유난 왕은 갑자기 몸

두반이 무슨
속셈으로 아무것도
씌어 있지 않은 책을
가지고 온 걸까?
mug

백지(白紙) : 아무것도 적지 않은 빈 종이.

이 굳어 가는 걸 느꼈어.

“이, 이게, 어떻게 된 일이냐?”

유난 왕은 서서히 굳어 가는 입으로 겨우 말했어.

“독, 독약이로구나!”

두반은 차가운 미소를 띠고 입을 열었지.

“그 책장에는 독이 발라져 있습니다. 사람의 몸을 돌로 만드는 무서운 독이옵니다. 이제 전하는 그 모습 그대로 석상(石像)이 되어 평생토록 기억되실 겁니다. 사람들은 그 석상을 바라보며 은혜를 모르는 자의 최후를 똑똑히 기억할 테니 말입니다.”

그 말을 끝으로 두반은 어디론가 사라졌어. 유난 왕은 자신의 잘못을 후회하며 돌로 변해 갔지.

두반의 말대로 유난 왕은 조각상이 된 후 사람들에게 평생 기억되었어. 은혜를 배반하고 뛰어난 현자를 죽이려 한 멍청한 왕으로 말이야.

석상(石像) : 돌을 조각하여 만든 사람이나 동물의 형상.

목숨을 구해 준 나를
죽이려 한 벌이오.
독, 독이다!
내 온몸에
독이 퍼졌어!

이야기를 마친 어부는 단지를 바라보았다.

"이 이야기의 교훈이 뭔 줄은 알겠지? 사람이 도와줬으면 그걸 은혜로 갚아야지. 원수로 갚으면 결국 자신이 죽게 된다는 걸 말이야. 너는 애원하는 나를 끝까지 죽이려 했으니 이제 나도 너를 저 바닷속으로 던져 버리고 말 것이다."

어부가 단지를 바다에 던지려 하자 마신이 울부짖으며 소리를 질렀다.

"어부여, 나는 그 이야기를 듣고 내 잘못을 깨달았다. 그러니 제발 다시 한 번 은혜를 베풀어 다오. 그럼 나는 너에게 큰 상을 내릴 것이다. 약속하마."

"내가 그걸 어떻게 믿지? 이미 날 한 번 죽이려 한 괴물의 말을 말이야."

그러자 마신은 엄숙한 목소리로 말했다.

"나를 여기에 가둔 위대한 솔로몬 왕과

알라신에게 맹세하겠다. 절대 너를 죽이지 않을 거라고. 만약 내가 너를 죽인다면, 그 전에 알라신에게 벌을 받을 것이다."

그 말에 어부는 마음이 흔들렸다. 알라신에게 한 맹세는 반드시 지켜야만 하는 것이었으니까.

고민하던 어부는 마신의 약속을 믿어 보기로 했다. 자기를 죽이지 않을 뿐더러 큰 상을 내린다는 말에 솔깃했던 것이다. 어부는 결국 단지 뚜껑을 열었다. 그러자 다시 연기가 치솟아 오르더니 커다란 마신의 모습이 어부의 눈앞에 나타났다.

다시 세상으로 나온 마신이 가장 먼저 한 일은 단지를 없애는 것이었다. 마신이 단지를 발로 뻥 차 바다로 던져 넣는 걸 본 어부는 다리가 후들거렸다.

'역시 저 마신은 날 죽일 생각인 거야. 난 왜 이렇게 멍청할까.'

마신은 바닷속으로 풍덩 빠지는 단지를 후련한 표정으로 지켜보다 고개를 돌려 어부를 바라보았다. 잔뜩 겁에

질린 어부를 본 마신은 씩 웃었다.

"내 위에 타라."

그러나 어부는 손가락 하나 까딱 할 힘조차 남아 있지 않았다. 마신은 어부를 한 팔로 안더니 하늘을 날아 어디론가 향했다.

"대, 대, 대체 어디로 가는 겁니까?"

마신은 대답은 하지 않고 멀리멀리 날아갔다. 한참을 날던 마신이 어부를 내려놓은 곳은 황무지荒蕪地 한가운데 있는 호수湖水였다.

"저 호수를 보아라."

마신의 말에 어부는 주춤주춤 다가가 호수를 들여다보았다. 어부는 깜짝 놀랐다. 호수에는 하양, 파랑, 노랑, 빨강 네 가지 색깔의 물고기가 헤엄치고 있었다. 평생 그물질을 해 온 어부도 난생처음 보는 물고기였다.

황무지(荒蕪地) : 손을 대어 거두지 않고 내버려 두어 거친 땅.
호수(湖水) : 땅이 우묵하게 들어가 물이 괴어 있는 곳. 못이나 늪보다 훨씬 넓고 깊음.

"그 물고기를 잡아 왕에게 바치면 큰 상을 내리실 것이다. 그러나 반드시 지켜야 할 것이 있다. 하루에 꼭 한 번만 잡아야 하느니라."

어부가 고개를 돌리자 마신은 이미 사라진 뒤였다. 어부는 귀신에 홀린 것만 같았다. 그러나 호수에서 헤엄치는 네 가지 찬란한 빛깔의 물고기는 진짜였다. 어부는 밑져야 본전이라는 생각에 가지고 간 그물을 호수로 던졌다.

마신이 이번에는
어부와 한 약속을 지켜
정말 다행이야.

어부는 마신이 시킨 대로 물고기를 잡아 왕에게 바쳤다. 신기한 물고기를 본 왕은 크게 기뻐하며 어부에게 평생을 쓰고도 남을 금화를 주었다.

5장

서서히 변하는 샤리야르 왕

"언니, '어부와 마신 이야기' 정말 재미있어. 재미있는 이야기 아직 많이 있지? 또 들려줘, 응?

디나자드는 이야기를 계속해 달라고 졸랐다. 세헤라자데는 그런 동생의 머리를 쓰다듬으며 미소 지었다.

"그런데 졸립지 않니? 전하께서는 하품을 하시는걸."

세헤라자데의 말대로 침대에 기대 누운 샤리야르 왕은 긴 하품을 하고 있었다. 그러나 그것은 이야기가 재미없어서가 아니었다. 벌써 날이 훤히 밝아 왔기 때문이다. 밤이 새는 줄도 모르고 세헤라자데의 이야기에 빠져 있었던 것이다.

“일단 눈 좀 붙이고, 오늘 밤에 다시 재미있는 이야기를 듣도록 하자꾸나.”

샤리야르 왕은 그렇게 말을 하고 자리에 누웠다. 그러고는 생각에 잠겼다.

‘세헤라자데의 이야기를 들은 지도 벌써 한 달이 넘었구나. 원래는 하루 만에 끝나는 이야기인 줄로만 알았는데……. 그러나 어부와 마신의 이야기 속에 또 이야기가 있고, 또 그 이야기 속에 이야기가 있어. 그래서 중간에 이야기를 그만 들을 수 없어서 아직도 신부를 살려 두고 있구나. 이야기가 무척 재미있단 말이야. 그리고 그 이야기들 모두에 교훈이 담겨 있고. 이야기가 모두 끝나기 전까지는 세헤라자데를 절대 죽이지 말아야지. 내 알라신에게 맹세하겠다.’

그렇게 맹세를 한 뒤 한결 마음이 편해진 샤리야르 왕은 스르르 잠이 들었다. 옆에서 그 모습을 지켜보던 세헤

알라신에게 맹세컨대 세헤라자데의 이야기가 다 끝날 때까지 절대 죽이지 않겠어.
아함
그래, 졸리데 그만 자렴.
언니, 오늘 밤에도 재밌는 이야기 꼭 들려줘야 해.

라자데는 미소를 지었다.

세헤라자데가 이야기를 시작한 지 한 달째가 가까워질 무렵부터 샤리야르 왕은 달라지기 시작했다. 난폭했던 왕은 순한 양처럼 바뀌었고, 신하들의 이야기도 귀 기울여 들을 줄 알게 되었다. 무엇보다 가장 중요한 것은 신부 세헤라자데를 죽이지 않은 것이었다.

그것은 세헤라자데가 들려주는 이야기 때문이었다. 이야기 속에 이야기가 숨어 있고, 또 그 속에 이야기가 숨어 있어 끝날 듯 절대 끝나지 않기 때문에 뒷이야기가 궁금한 왕은 절대 세헤라자데를 죽일 수 없었다.

세헤라자데가 샤리야르 왕에게 들려줄 이야기는 아직 수도 없이 많이 남아 있었다. 1000일 하고도 하루 동안이나 이어지는 세헤라자데의 이야기는 밤마다 끝없이 이어졌다.

알리의 가죽 주머니

시골에 알리라는 젊은이가 살았다. 재미있는 걸 밥 먹

는 것보다 더 좋아하는 알리에게 하루하루가 똑같은 시골은 너무도 지루한 곳이었다.

"이 세상에는 신기한 것들이 엄청 많을 텐데 이 시골 구석에서 썩어야 하다니, 내 신세도 참 처량凄涼하구나."

알리의 아버지는 늘 투덜거리는 아들을 보다 못해 소리를 빽 질렀다.

"그렇게 심심하면 떠나 버려! 내 더 이상 투덜거리는 꼴 보기 싫으니……."

알리는 펄쩍 뛸 정도로 기뻐했다. 드디어 넓은 세상으로 여행을 떠날 수 있게 된 것이다. 알리는 그날로 여행을 떠날 채비를 했다. 아버지가 낡은 가죽 주머니 하나를 알리에게 주며 말했다.

"네놈이 워낙에 정신머리가 없어서 잘 흘리고 다니질 않느냐. 그러니 뭔가 생겼으면 꼭 이 가죽 주머니에 넣도록 해라."

처량(凄涼) : 마음이 구슬퍼질 정도로 외롭거나 쓸쓸함.

"감사합니다, 아버지."

알리는 얼른 가죽 주머니를 받아들었다. 그러고는 그 주머니를 어깨에 둘러메고 아버지께 넙죽 인사를 했다.

"아버지, 넓은 세상으로 나가 많은 것들을 보고 오겠습니다. 그럼 분명 저에게도 기회가 생겨서 임금님도 만날 수 있겠죠? 그렇게만 된다면 이 가죽 주머니에 진귀한 보물들을 가득 채워서 오겠습니다."

임금을 만나
가죽 주머니에 진귀한
보물을 가득 채워 오겠다고?
꿈 한번 야무진걸.

알리의 아버지는 아들의 허무맹랑虛無孟浪한 말에 혀를 끌끌 차며 말했다.

"그 주머니나 잘 챙겨서 돌아오너라."

알리는 아버지의 마음이 바뀔까 봐 냉큼 집을 나섰다.

그 후로 알리는 세상 여러 곳을 두루 돌아다니며 온갖 신기한 것들을 보고 다녔다. 그러면서 알리는 재주 하나

허무맹랑(虛無孟浪) : 터무니없이 거짓되고 실속이 없음.

를 익혔다. 그것은 바로 허풍 치는 법이었다. 그 재주를 가지고 알리는 돈 한 푼 없이 여행을 계속할 수 있었다. 마을에 도착할 때마다 사람들을 불러 모아 온갖 재밌는 허풍을 치는 것이었다.

"제가 말입니다. 길을 가는데 글쎄 눈곱만 한 개미 한 마리가 날 막지 않겠어요? 그리더니 통행세를 내놓으라는 거예요. 너무 어이가 없어서 개미를 확 밟아 죽이려는데 말이죠? 세상에나! 개미가 날 확 들어서 메치지 않겠어요? 그래서 별수 있나요. 개미에게 통행세로 쌀 세 톨을 주고서야 그 길을 지나갈 수 있었죠."

사람들은 알리의 이야기가 허풍이라는 것을 알면서도 워낙 재미가 있는지라 배꼽이 빠져라 웃었다. 그러면서 이야기를 들은 값으로 먹을 것을 주거나 잠자리를 마련해 주었다. 그날도 알리는 사람들을 모아 놓고 잔뜩 허풍을 친 뒤에 자두 세 알을 얻었다.

'잘됐어. 마침 날씨가 무척 더운데, 길 가다 목이 마르면 먹어야지.'

개미에게 통행세를
물었다고? 완전
허풍의 달인이구먼!
개미가 힘이
장사더라니까요!

알리는 가죽 주머니 안에 자두를 넣은 뒤 다시 걸음을 재촉했다. 조금만 더 가면 왕이 사는 도시가 나온다는 이야기를 들었던 것이다.

마침내 도시에 도착한 알리는 깜짝 놀랐다. 으리으리한 집과 많은 사람들이 있는 것을 생전 처음 보았던 것이다. 눈이 휘둥그레진 알리는 가죽 주머니를 가슴에 꼭 안고 이곳저곳을 돌아다녔다. 마침 지나가던 도둑의 눈에 그런 알리의 모습이 띄었다.

'저 촌놈 봐라! 누가 훔쳐 갈까 봐 주머니를 꼭 안고 있구먼. 돈이 될 만한 것이 좀 들었나 보지?'

도둑이 알리의
가죽 주머니에 자두
세 알밖에 들지 않은 걸
알면 기절하겠지?

씩 웃으며 알리에게 다가간 도둑은 다짜고짜 가죽 주머니를 붙잡더니 소리쳤다.

"도둑이야! 여기 내 가죽 주머니를 훔쳐 간 도둑이 있다!"

알리는 어안이 벙벙했다. 웬 이상한 사람이 자기 가죽 주머니를 붙잡더니 도둑으로 몰아붙이는 게 아닌가. 알리는 아버지가 준 가죽 주머니를 빼앗길까 봐 자기도 소리를 쳤다.

"여러분, 아닙니다! 도둑은 바로 이 사람입니다. 이 가죽 주머니는 제 것입니다."

알리와 도둑은 서로 가죽 주머니가 자기 것이라고 목소리를 높였다. 결국 알리와 도둑은 재판관 앞에 서게 됐다.

재판관은 근엄한 표정을 짓고 둘을 바라보았다.

"너희 둘 다 이 가죽 주머니를 자기 것이라고 주장하고 있구나. 대체 누가 진짜 주인이냐?"

알리는 아버지가 자신에게 가죽 주머니를 준 사연과 집을 나서는 날부터 오늘날까지 이곳저곳 여행을 하며 가죽 주머니를 들고 다녔다고 말했다. 그 이야기를 듣자 도둑은 더욱 그 가죽 주머니에 욕심이 났다.

'그렇게 여행을 하며 손에 넣은 온갖 귀중한 물건들을 다 저 주머니에 넣었겠지?'

도둑 역시 그 가죽 주머니가 어제저녁에 자기 집에서 도둑맞은 물건이라고 열심히 거짓말을 했다. 재판관은 도무지 알 수가 없어 한참을 고민하다 입을 열었다.

"그럼, 이렇게 하도록 하자. 이 가죽 주머니의 주인은 이 안에 무엇이 들었는지 알 것 아니냐. 이 안에 무엇이 들었는지 말해 보도록 해라."

알리가 자두 세 알이 들었다고 말하려는 순간, 도둑이 먼저 입을 열었다. 그런데 입에서 터져 나온 말이라는 것이 하나도 말이 안 되는 허풍이었다. 도둑의 허풍은 알리 못지않았다.

"재판관님, 저는 확실히 알고 있습니다. 저 가죽 주머니 안에는 세 개의 금 촛대와 빨간 루비 다섯 알이 들어 있습니다. 그리고 옛날 옛적부터 전해 내려오는 귀중한 단지 일곱 개가 있는데 그 안에는 모두 금화가 그득하게 차 있습니다. 아, 가장 중요한 걸 빼먹었습니다. 물론 그 단지를 옮길 낙타 두 마리와 말 세 마리도 있습죠."

그 말을 들은 재판관과 사람들은 어이가 없었다. 고작해야 단지 하나도 겨우 들어갈까 말까 한 작은 가죽 주머니에 그 많은 것들이 들어 있다고 하니 황당할 수밖에 없

한번 해 보자는 거냐? 좋아, 허풍 배틀이다.
저자가 지금 뭐라고 떠드는 거냐?

었다. 도둑이 하는 말을 듣고 있던 알리는 재미난 생각이 들었다.

'저 도둑이 지금 내 주머니를 자기 것이라 우긴 벌을 받을까 두려워 말도 안 되는 허풍을 늘어놓고 있구나. 원래 허풍으로는 날 따라올 사람이 없는데 어디 한번 겨뤄 볼까?'

타고난 허풍쟁이로서의 본성本性이 발휘된 것이었다.

재판관은 헛기침을 하고는 알리에게 말했다.

"그래, 저 주머니에 뭐가 들어 있는지 어디 한번 말해 보아라."

"재판관님, 저 사람의 말은 모두 거짓입니다. 저 가죽 주머니에 든 것은 그런 것이 아닙니다. 제 가죽 주머니 안에는 참으로……."

알리는 그때부터 입에 침 한 방울 바르지 않고 허풍을 치기 시작했다.

본성(本性): 사람이 본디부터 가진 성질.

“참으로 초라한 원두막이 한 채 있을 뿐입니다. 그리고 그 원두막 옆에는 닭 스무 마리와 그 닭들을 가둘 닭장이 있습니다. 그리고 아이들 열일곱 명과 그 아이들을 가르칠 선생님 여섯 분, 그리고 작은 운동장이 딸린 학교가 있습니다. 학교 안에는 책상과 의자가 각각 열일곱 개가 있죠. 물론 선생님이 쓰는 칠판도 있고요. 지금은 아마 수학 시간일 터입니다. 그래서 제가 주머니 입구를 막아 놓은 거랍니다. 모든 아이들은 수학을 싫어해서 도망치려고 하니까요.”

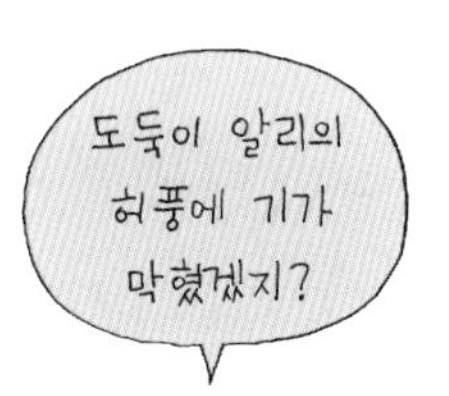

이제 재판관과 사람들은 그 황당한 말에 아무 말도 하지 못할 지경이었다. 그때 도둑이 너무도 분한지 씩씩대며 입을 열었다.

“거짓말을 입에 침도 안 바르고 하는 저 도둑놈은 분명 알라신의 벌을 받을 것입니다. 재판관님, 제 말을 믿으셔야 합니다. 학교라뇨, 말도 안 됩니다. 저 가죽 주머니 안에 들어 있는 건 그런 게 아닙니다.

바로 동물원이 들어 있습니다. 그 동물원에는 코끼리 세 마리와 나무늘보 여섯 마리가 있습니다. 그리고 펠리컨 다섯 마리와 공작새 쉰일곱 마리도 있습니다. 그리고 호랑이와 사자가 암수 한 쌍으로 있는데 그놈들은 워낙에 거칠어서 우리를 만들어 넣으려던 참이었습니다.

지금 당장이라도 우리에 넣지 않으면 호랑이와 사자가 다른 동물들을 모두 잡아먹을지도 모릅니다. 제발 빨리 저 가죽 주머니를 저에게 돌려주십시오!"

그 순간 알리는 허풍쟁이의 신에게 기도를 올리고 있었다. 저 허풍쟁이 도둑을 이길 힘과 용기를 달라는 기도 말이다. 재판관은 넋이 빠진 얼굴로 알리를 보았다.

"자넨 뭐 또 할 말 있는가."

"재판관님, 저 안에 학교는 없습니다."

"그렇겠지! 당연하지!"

재판관의 큰 목소리에 알리는 고개를 끄덕였다.

"지난 주에 방학을 해서 아이들이 모두 집으로 돌아가 버렸거든요. 그래서 저는 가죽 주머니를 비우고 다른 것을 채웠습니다."

알리는 갑자기 10년은 폭삭 늙은 듯한 재판관을 무시하고 이야기를 늘어놓았다.

"가죽 주머니 안에는 온갖 나무와 꽃들이 만발한 초원이 있습니다. 그리고 한가운데에는 커다란 호수가 있죠. 초원에는 세상에서 가장 아름다운 여인 23명이 모여 즐겁게 놀고 있습니다. 그리고 그녀들을 위해 세상에서 가장 맛있는 음식을 요리할 요리사가 12명이 있죠. 마침 오늘은 결혼식이 있는 날이어서 손님들까지 북적거리며 술을 마시고 있습니다.

잔치의 흥을 돋우기 위해 서커스단도 와 있는데, 그중 가장 볼 만한 건 500명의 대머리들이 햇빛에 머리를 반짝거리며 부르는 노래입니다. 아, 해 이야기를 드리지 않았군요. 그 초원에는 해가 두 개, 달이 세 개 떠 있지요. 그러나 가장 볼 만한 건 반짝이는 별 7500개입니다."

아이고, 머리야!
가죽 주머니 안에는 초원이 펼쳐져 있고, 초원 한가운데는 호수가…….

허풍으로는
날 따를 자가 없는데,
저 아이 허풍에는
못 당하겠는걸.

알리가 말을 마치자 숨소리조차 들리지 않을 정도로 온통 정적만이 가득했다. 알리의 허풍에 모두 넋이 나간 것이었다.

그때 도둑이 침을 탁 뱉었다.

"에이, 저런 허풍쟁이 놈. 내가 그냥 가죽 주머니 안 훔치고 만다!"

순간 도둑은 자기 입을 틀어막았다. 알리의 허풍에 어이가 없어 스스로 자기가 도둑이라고 이야기한 꼴이 되고 말았던 것이다. 그러나 이미 그 말을 들은 재판관은 병사들을 불러 도둑을 끌고 가게 했다. 그러고는 알리를 보며 감탄했다.

"당신의 허풍 때문에 도둑을 잡게 되었소. 정말 대단하구려."

알리는 별것 아니라는 듯 씩 웃으며 가죽 주머니를 집어 들었다.

"그럼 저는 가도 되나요?"

"가도 좋소. 하지만 가기 전에 그 주머니 안에 대체 무엇이 들었는지 말해 줄 수 있겠소?"

재판관의 물음에 사람들의 시선이 모두 가죽 주머니로 쏠렸다. 사실 그 자리에 모인 사람들 모두 그게 너무도 궁금해 미칠 지경이었던 것이다. 알리는 주변을 한번 죽 둘러보았다.

"모두들 그게 궁금하셨던 거로군요? 그럼, 알려 드려야죠."

알리의 가죽 주머니에
뭐가 들어 있는지 정말
궁금했을 것 같지 않니?

알리는 가죽 주머니의 입구를 풀더니 손을 쑥 집어넣었다. 사람들은 숨을 죽이고 그 광경을 지켜보았다. 알리가 꺼낸 건 바로 자두 한 알이었다. 알리는 자두를 맛나게 먹은 뒤 씨를 훅 뱉었다.

"어, 시원하다. 제가 방금 하나를 먹었으니, 이제 주머니 안에는 자두 두 알이 있겠군요."

그 말에 모든 사람들은 미친 듯이 웃기 시작했다. 도둑이 자두 세 알이 든 주머니를 가지려고 그렇게 엄청난 허풍을 떨었다는 것이 너무나도 우스웠기 때문이다.

그 날 이후, 알리의 이름은 온 도시에 퍼졌고 다들 그의 허풍을 듣기 위해 구름처럼 몰려들었다. 그 소문은 결국 왕의 귀에까지 들어갔다.

왕은 직접 왕궁으로 알리를 불러 사흘 밤낮으로 그의 허풍을 들으며 껄껄 웃었다. 그리고 알리의 소원대로 그 가죽 주머니에 가득 보물을 담아 고향으로 돌아갈 수 있게 해 주었다.

처음 알리가 아버지에게 했던 말을 기억하는가. 알리는 그 말대로 왕도 만나고 아버지가 준 가죽 주머니에 보물까지 담아서 돌아갈 수 있게 되었다.

그 모든 것이 알리의 허풍 때문이니, 뭐든지 잘하는 게 있다는 것은 쓸모가 있는 것이다.

꾀보의 버터 단지

어느 마을에 꾀보가 한 사람 살았다. 그 꾀보는 부잣집의 하인이었다. 꾀보는 잔머리 굴리는 데는 둘째가라면

네 허풍을 재밌게
들은 보답이니라!
이 보물을 아버지께
갖다 드려야지!
이 보물이 다
어디서 난 거냐?
허풍도 잘 치면
쓸모가 있다니까?
그 때
그 도둑!

서러워할 정도여서 다른 하인들의 빈축嚬蹙을 샀다. 꾀보는 힘든 일은 꾀를 부리며 하지 않고 편한 일만을 하려고 들어 주인에게 식사를 가져다주는 일만을 했다. 주인은 빵에 버터를 발라 먹는 걸 즐겼기에 식탁에는 늘 버터가 한가득 올라갔다.

그 당시 버터는 상당히 비싼 음식이라서 조금만 모아도 큰 부자가 될 수 있었다. 꾀보는 못된 욕심이 생겨 주인의 식탁에 올라가는 버터를 한 숟갈씩 덜어 단지에 담기 시작했다.

"이 정도쯤 없어지는 건 아무도 눈치채지 못할 거야. 헤헤헤, 역시 난 머리가 좋다니까."

그렇게 한 숟갈씩 모은 버터는 어느새 단지 하나를 가득 채웠다. 그러자 꾀보는 혹시 쥐나 도둑이 버터 단지를 노릴까 봐 겁이 났다.

몇 날 며칠을 고민하던 꾀보는 자기 방 벽을 파서 그 안

빈축(嚬蹙) : 눈살을 찌푸리고 얼굴을 찡그림.

에 버터 단지를 넣어 두었다. 그날부터 꾀보는 일은 뒷전이고 버터 단지를 보는 게 사는 즐거움이었다. 밥 먹는 것도 자는 것도 잊고 오로지 버터 단지를 들여다보았다.

그날 밤에도 꾀보는 자기 전에 버터 단지를 꺼내 바라보았다. 그는 흐뭇한 표정을 지으며 생각에 잠겼다.

열심히 일을 할 생각은 하지 않고 꾀만 부리다가는 후회할걸.

'헤헤, 저 버터를 가지고 나가서 팔면 양 한 마리는 살 수 있을 거야. 그 정도야 당연히 살 수 있겠지. 버터는 황금만큼이나 비싸니까. 이왕 사는 거 암양을 사야겠어. 그러면 새끼를 얻을 수 있을 거 아냐? 그럼 그 양은 아마 새끼를 두 마리 낳을 거야. 그것도 암놈이랑 수놈으로. 그럼 그놈들이 또 새끼를 낳고, 또 새끼를 낳고. 그러다 보면…… 이야, 금방 수십 마리로 불어나겠지.

그럼 그놈들을 싹 팔아 버리고 아예 목장을 큼지막하게 지어야겠어. 그 목장에는 암소랑 말을 키워야지. 소와 말이 양보다는 더 비싸니까. 그럼 그 소와 말도 금방금방 불어나겠지. 그럼 그걸 또 팔아서 돈을 벌고, 또 벌고…….

돈을 많이 벌면 커다란 집부터 지어야겠어. 왕도 부러워할 만한 커다란 집으로 말이야. 그럼 어여쁜 부인도 얻을 수 있겠지? 곧 아들도 태어날 거고. 나를 꼭 닮은 녀석일 거야, 헤헤헤.

아들놈은 훌륭한 학자로 키워야겠어. 그러려면 가정교사도 있어야겠지? 그래서 수학과 철학을 가르치는 거야. 그런데, 그놈이 만약에 꾀를 부리면 어떡하지? 흥, 그럼 내가 혼쭐을 내줘야지. 회초리로 엉덩이를 때리는 거야. 이렇게, 이렇게!'

쯧쯧, 한심한 사람 같으니라고! 아무 노력도 하지 않고 공짜로 모든 걸 얻으려 하다니…….

공상에 푹 빠진 꾀보는 실제로 회초리를 흔드는 것처럼 손을 흔들었다. 그런데 이를 어쩐다. 그 바람에 손에 들려 있던 버터 단지가 툭 떨어져 버린 것이었다. 단지는 깨져서 안에 든 버터들도 모두

땅바닥으로 흘러내렸다. 다시는 주워 담을 수 없을 정도로 말이다.

그러나 여전히 꾀보는 공상에 빠져 있었다.

'그럼 아들놈도 말을 잘 듣겠지.'

꾀보는 헤 웃었다.

밀 도둑 이야기

옛날, 어느 마을에 도둑질의 달인達人이 살고 있었다. 얼마나 달인인가 하면 그 도둑이 물건을 훔치러 한낮에 왕궁을 들어갔다 나와도 누구 한 사람 도둑이 들었는지를 모를 정도였다.

그러던 어느 날이었다. 도둑은 점심으로 콩죽 한 사발을 맛나게 비우고 집을 나섰다. 그날 저녁 부잣집의 새로 빻은 밀을 훔치기로 했던 것이다.

부잣집에서는 혹시나 도둑이라도 들까 봐 하인들에게

달인(達人) : 학문이나 기예에 통달하여 남달리 뛰어난 역량을 가진 사람.

번갈아 가며 창고 앞에서 망을 보게 했다. 그러나 도둑질의 달인에게 그런 건 아무 문제도 되지 않았다. 하인들 곁을 스쳐 지나가도 멍청한 하인들은 그저 바람이 불었나 생각할 정도였다.

도둑이 살금살금 창고에 들어가자 향긋한 밀 냄새가 풍겼다.

"헤헤헤, 빵을 실컷 해 먹겠는걸?"

도둑은 마치 자기 집 창고에 온 듯 느긋하게 자루에 밀을 옮겨 담기 시작했다. 그런데 갑자기 도둑의 속이 부글부글 끓기 시작했다. 원래 콩죽이라는 것이 그렇다. 먹을 때는 맛있지만 배 안에서 콩이 불면서 가스를 차게 하는 것이었다.

도둑은 들킬까 봐 참으려고 해 봤지만 방귀가 나오고야 말았다. 그러자 방귀 소리를 들은 하인들이 창고 안으로 뛰어 들어왔고, 결국 도둑은 붙잡히고 말았다. 그러나 도둑은 오히려 당당하게 큰소리를 쳤다.

"당신들이 어찌 나에게 이럴 수 있단 말인가. 이게 내

웬 놈이냐?
벌컥
에구머니,
나도 모르게 방귀가
나오고 말았어!
뿡

가 너희들에게 베푼 선의에 대한 보답이란 말인가?"

하인들은 도둑이 무슨 말을 하는지 몰라 어리둥절한 표정으로 서로를 바라보았다. 그러자 자신감을 얻은 도둑은 더 큰 소리로 외쳤다.

"내가 왜 방귀를 뀌었는지 모른단 말이냐! 그게 다 너희들을 편하게 해 주기 위해서였다. 내가 방귀를 뀌면 너희들이 고생할 필요 없이 도둑을 쉽게 잡을 것이 아니냐. 이 어찌 고마운 일이 아니냔 말이다. 그러니 이제 너희들도 나를 위해 무언가 해 주어야지. 원래 가는 것이 있으면 오는 것이 있는 법이니까."

"그래서, 뭘 어떻게 하란 말이냐, 대체."

하인 중 한 사람이 머리를 긁적이며 말했다.

"당연히 나를 풀어 줘야지. 그게 지금 너희들이 나에게 해 줄 수 있는 최고로 착한 행동이니 말이다. 그러면 오늘 착한 행동을 서로에게 한 나와 너희들에게 알라신이 축복을 내리실 것이다."

그 말에 하인들은 어안이 벙벙한 표정을 하고서 도둑이

도망가는 꼴을 멍하니 바라보았다.

이 이야기의 교훈은 두 가지이다. 하나는 호랑이에게 물려 가도 정신만 바짝 차리면 산다는 것. 그리고 또 하나는? 큰일을 앞두고는 절대 콩죽을 먹지 말라는 것.

게으름뱅이 무하메드가 부자가 된 이야기

어느 옛날, 한 도시에 무하메드라는 게으름뱅이가 살고 있었다. 그가 얼마나 게으름뱅이였는지 한눈에 알 수 있는 일화가 있다.

무하메드의 아버지는 일을 나가고 어머니도 옆 마을에 볼일이 있어 나가야 할 때였다. 무하메드는 게으름뱅이답게 누워서 손 하나 까딱 하지 않고 있었다.

러시아의 작가
톨스토이가 말하기를
"게으른 자의 머릿속은
악마가 살기에 가장 좋은
곳이다."라고 했지.

"무하메드야, 네가 음식을 차려 먹을 거라는 기대는 아예 하지도 않는단다. 그래서 오늘 하루 종일 먹을 음식을 차려 놓았으니 꼭 먹도록 해라."

무하메드는 대답도 하기 귀찮은지 고개를 끄덕였다. 어머니는 아무리 아들이 게으름뱅이라고 해도 배가 고프면 못 참고 알아서 챙겨 먹을 거라 생각하고 길을 나섰다.

그날 저녁 늦게 어머니가 돌아와 보니 부엌에 차려 놓은 음식은 하나도 남아 있지 않았다. 어머니는 아들이 굶지 않아 다행이라 생각하고 무하메드의 방에 들어갔다. 무하메드는 어머니가 나갈 때 자세 그대로 누워 있었다. 그런데 계속 신음소리를 내는 게 아닌가.

"왜 그러니, 무하메드야. 어디 아프니?"

어머니가 놀라서 물어보자 무하메드는 천천히 고개를 저었다.

"아니에요, 어머니. 배가 고파서 그래요."

"배가 고프다니? 부엌에 있던 음식을 다 먹지 않았니?"

"그건 제가 먹은 게 아니에요."

무하메드의 이야기는 이랬다.

무하메드가 누워 있는데 쥐들이 부엌에서 찍찍거리며 어머니가 차려 놓은 음식을 먹는 소리가 들렸다. 얼른 일

찍찍
찍찍
찍찍
찍찍
찍찍
찍찍
찍찍
찍찍
찍찍
취가 내 밥을 다 먹나 보다. 그래도 일어나기 싫어.
꼬르륵

어나서 쥐들을 쫓아내야 하지만 무하메드는 귀찮아서 그냥 내버려두었다. 결국 쥐들이 음식을 모두 먹어 버렸고, 무하메드는 쫄쫄 굶고 있었던 것이었다. 무하메드의 게으름은 그 정도였다.

세월이 흘러 무하메드의 아버지는 저세상으로 떠나 버렸다. 그러나 무하메드는 여전히 게으름만 부리고 있었다. 늙은 어머니가 일을 해 집안 살림을 꾸려 나가다 결국 병을 얻었다. 병이 든 어머니는 그동안 모아 놓았던 은전 다섯 닢을 꺼내 누워 있는 무하메드의 앞에 내놓았다.

무하메드, 병든
어머니께서 돌아가시기
전에 효도 한 번
해야지!

"무하메드야, 우리 집에 있는 돈은 이게 다란다. 이걸로 제발 장사라도 해 보렴. 그렇지 않으면 이 어미는 너무 슬퍼서 울다 죽을 거란다."

처음으로 진지하게 이야기를 하는 어머니의 모습을 본 무하메드는 뭔가 느끼는 게 있었다. 지금까지 자신 때문에 고생만한 어머니에게 효도孝道를 해야겠다는 생각이 처음으로 들었던 것이다.

무하메드는 자리에서 일어났다. 매일같이 누워만 있어 힘없는 다리는 부들부들 떨렸고 눈에서는 눈물이 줄줄 흘렀다. 그러나 무하메드는 힘을 내서 거리로 나갔다.

무하메드가 한참 거리를 돌아다녔지만 은전 다섯 닢으로 할 수 있는 일은 아무것도 없었다. 절망에 빠진 무하메드가 포기하려 할 때, 그의 귀에 구원과도 같은 소리가 들려왔다.

"상인 무자파르가 중국으로 항해航海를 떠난다지? 거기서 구해 오는 물건은 모두 비싼 값에 팔릴 텐데, 우리도 가서 투자 한 번 해 볼까?"

사람들이 모여 떠드는 이야기를 들은 무하메드는 쓰러질 것 같은 몸을 이끌고 항구로 향했다.

효도(孝道) : 부모를 잘 섬기는 일.
항해(航海) : 배를 타고 바다 위를 다님.

항구에 도착한 무하메드는 주변을 둘러보았다. 그러다 가장 큰 배 앞에 서 있는 가장 화려한 옷을 입은 남자에게 다가갔다.

"실례지만 무자파르 님이 맞으십니까?"

"네가 날 어떻게 아느냐?"

무하메드는 떨리는 손으로 주머니에서 은전 다섯 닢을 꺼냈다.

"병든 어머니를 고치기 위해서는 꼭 돈을 벌어야만 합니다. 죄송합니다만 이 돈으로 저에게 귀한 물건 하나만 사다 주십시오. 그러면 그 물건을 밑천 삼아 큰돈을 벌고 싶습니다."

그 모습을 본 다른 상인들은 모두 무하메드를 비웃었다. 은전 다섯 닢으로 살 수 있는 물건은 아무것도 없는데 귀한 물건을 사다 달라는 무하메드의 말이 어이없었기 때문이다. 그러나 무자파르는 눈물을 흘리는 불쌍한 무하메드를 빤히 바라보다 그 돈을 받았다.

"내 이 돈으로 너를 위한 물건 하나를 사 오겠다. 걱정

하지 말아라."

그 말에 무하메드는 너무도 기뻐 몇 번이고 고개를 꾸벅이며 감사 인사를 했다.

무자파르가 다른 상인들과 떠나고 난 뒤 무하메드는 어머니를 간호하며 매일 알라신에게 기도를 올렸다.

"게으름만 부리던 저 때문에 평생 고생만 하신 어머니를 이렇게 떠나 보낼 수는 없습니다. 제발 무자파르 님이 무사히 항해를 마치고 돌아오게 해 주십시오. 그분이 사 오신 물건을 밑천 삼아 장사를 하겠습니다. 이제 다시는 게으름을 피우지 않겠습니다. 알라신이시여, 제발 도와주십시오."

알라신이 과연
게으름뱅이 무하메드의
기도를 들어주셨을까?

그렇게 몇 달이나 지났을까. 무자파르의 배가 드디어 항해를 마치고 돌아왔다. 중국에서 수많은 돈을 벌었는지, 무자파르의 배에서는 금은보화들이 끊임없이 쏟아져 나왔다.

구경꾼들이 침만 꼴깍거리며 금은보화를 바라보고 있을 때, 사람들을 헤치며 앞으로 나오는 젊은이가 있었다. 바로 무하메드였다.

"항해는 잘 다녀오셨습니까. 큰 성공을 하신 것 같아 제가 다 기쁘군요. 그런데 제가 드린 은전 다섯 닢으로 어떤 물건을 사오셨는지요?"

무자파르는 인자(仁慈)한 미소를 짓더니 하인을 불러 무언가를 가지고 오게 했다. 잠시 뒤 하인은 온통 털이 빠진 원숭이 한 마리를 가지고 왔다. 무자파르는 그 원숭이를 무하메드에게 건네며 말했다.

"네가 내게 준 은전 다섯 닢으로 사온 원숭이다."

그 말에 무하메드는 실망이 이만저만이 아니었다. 팔아먹지도 못할 원숭이라니……. 그 모습을 보던 구경꾼들은 모두 낄낄거렸다. 그런데 무자파르가 허리

인자(仁慈) : 마음이 어질고 자애로움. 또는 그 마음.

를 숙여 무하메드에게 정중(鄭重)하게 절을 하는 게 아닌가. 구경꾼들은 놀라 웃음을 멈췄다. 그러나 가장 놀란 건 바로 무하메드였다.

"어, 어르신. 대체 왜 이러십니까. 저한테 절을 하시다니요."

"이제 이 마을에서 가장 큰 부자가 되었으니, 예의를 갖춰야지."

"부자라뇨? 제가요?"

어리둥절해하는 무하메드에게 무자파르는 어딘가를 가리켰다. 무하메드가 고개를 돌리자 거기에는 배에서 내린 금은보화가 산처럼 쌓여 있었다.

"저것이 모두 네 원숭이가 벌어들인 보물이다. 그리고 원숭이의 주인은 너이니 저 보물의 주인 또한 네가 아니겠느냐."

무하메드는 놀라 눈이 동그래졌다.

정중(鄭重) : 태도나 분위기가 점잖고 엄숙함.

네 원숭이가
벌어들인 보물이다.
저 금은보화가
다 제 것이라고요!

“대체, 이 원숭이가 어떻게 저 많은 금은보화를 벌어들였단 말입니까?”

무자파르는 신기한 원숭이의 이야기를 들려주었다.

무자파르는 중국에 도착해서 함께 간 상인들과 가지고 간 물건을 팔고, 중국의 신기한 물건들을 잔뜩 사들였다. 배가 꽉 차도록 물건들을 산 무자파르와 상인들은 다시 고향을 향해 출발했다.

그렇게 삼일 밤 삼일 낮을 달렸을 때, 문득 무자파르는 자신의 주머니에 있는 은전 다섯 닢을 떠올렸다.

“아차, 내가 그 불쌍한 아이를 위한 물건을 사지 않았구나. 여봐라, 어서 배를 돌려라.”

그러자 놀란 상인들은 무자파르의 마음을 돌리기 위해 온갖 말로 구슬렀다. 다시 중국으로 갔다가 사고라도 나면 어떡하냐며 말이다. 그러나 무자파르의 마음은 확고했다. 그러자 상인들은 외쳤다.

“저희들 각자가 금화 다섯 냥을 낼 터이니, 그 불쌍한 아이에게 주십시오. 그럼 되지 않겠습니까?”

모든 상인들이 금화 다섯 냥을 내자 단지 하나가 그득 찰 정도가 되었다.

'이 정도면 정말 수지收支 맞는 장사로군. 그 아이도 기뻐하겠지?'

무자파르는 은전 다섯 닢과 항아리에 가득 찬 금화를 무하메드에게 주기로 하고 항해를 계속했다. 그러다 물과 식량을 얻기 위해 어느 작은 섬에 배를 댔다. 그 섬에는 한 노인이 원숭이들을 키우고 있었다.

'잘됐다. 어차피 무하메드에게는 금화 한 항아리가 있으니, 은전 다섯 닢으로 원숭이를 한 마리 사다 주어야겠다. 혹시 또 모르지. 중요하게 쓰일 데가 있을지도.'

무자파르는 그렇게 생각하고 노인에게 다가가 은전 다섯 닢을 내밀었다.

"이 돈으로 살 수 있는 원숭이를 한 마리 주시오."

노인은 그 돈을 흘깃 보더니 털이 다 빠진 원숭이 한 마

수지(收支) : 거래 관계에서 얻는 이익. 또는 수입과 지출을 아울러 이르는 말.

리를 가지고 와 무자파르에게 주었다. 무자파르는 썩 마음에 들지는 않았지만 어쩔 수 없었다. 은전 다섯 닢의 가치는 딱 그 정도밖에 안 되니 말이다.

무자파르는 원숭이를 싣고 다시 항해를 시작했다. 그런데 배가 한창 달리고 있는데 갑자기 원숭이가 바다로 뛰어 들어가는 게 아닌가. 무자파르는 놀라 바다를 내려다보았지만 이미 원숭이의 모습은 보이지 않았다.

"어허, 이럴 수가. 무하메드가 준 은전 다섯 닢에는 귀신이라도 붙었단 말인가. 어떻게 원숭이가 스스로 바다에 뛰어든단 말인가."

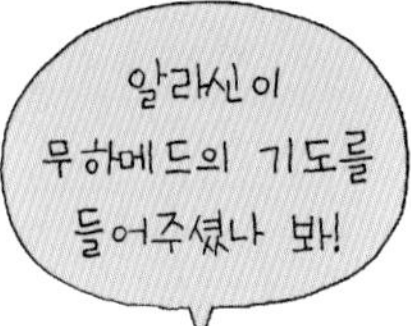

그런데 잠시 뒤 놀라운 광경이 벌어졌다. 원숭이가 조개를 잔뜩 끌어안고 배 위로 올라온 것이다. 그 원숭이는 조개를 까 먹으려는 듯 배 갑판에 세게 내리쳤다.

그러자 갑자기 배가 온통 밝아지는 느낌이 들었다. 조개 안에서 나온 건 어른 주먹만 한 진주였던 것이다.

원숭이는 실망했는지 다른 조개를 모두 깼다. 깨는 족족 모두 커다란 진주가 들어 있었다. 무자파르는 놀라 원숭이를 보았다.

"무하메드의 돈에 붙은 게 귀신이 아니라 알라신이었구나. 그의 원숭이가 이 귀한 진주를 이렇게나 많이 가지고 오다니……."

그 후로도 원숭이는 계속해서 바다에서 진주가 든 조개를 잡아 왔다. 그렇게 모인 진주가 벌써 큰 포대로 다섯 포대는 될 정도였다. 무자파르와 상인들이 신기해 할 동안 어느새 배는 두 번째 섬에 도착했다.

무자파르와 상인들은 두 번째 섬에서 내려 잠시 쉬고 있었다. 그런데 갑자기 어디선가 북소리가 들리더니 숲에서 식인종들이 뛰어나왔다.

무자파르와 상인들은 놀라 도망치려 했지만 순식간에 밧줄에 꽁꽁 묶이는 처지가 되고 말았다. 알고 보니 그 섬은 식인종들의 소굴이었던 것이다.

"우헤헤, 오늘 아주 포식하겠구먼. 오늘 저녁에 전부

다 잡아먹자고."

"안 돼! 이놈들 모두 우리 왕 생일잔치에 써야 해."

식인종들의 왕의 생일은 내일이라고 했다. 밧줄에 꽁꽁 묶인 무자파르와 상인들은 내일이면 모두 저세상 사람이 될 처지였다.

밤이 되자 무자파르와 상인들은 눈물을 펑펑 쏟았다.

"아, 누가 나를 구해만 준다면 배에 있는 내 물건의 절반을 내놓아도 아깝지 않을 텐데."

무자파르가 그렇게 한탄을 하고 있을 때, 놀라운 일이 벌어졌다. 무자파르의 몸을 묶고 있던 밧줄이 스르르 풀린 것이었다. 무자파르가 놀라 뒤를 돌아보니 거기에는 무하메드의 원숭이가 밧줄 끝을 들고 서 있었다.

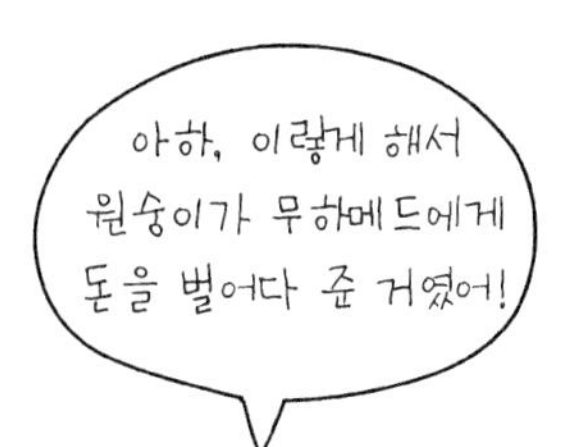

아하, 이렇게 해서
원숭이가 무하메드에게
돈을 벌어다 준 거였어!

"네가 날 구해 준 것이냐?"

그러자 원숭이는 마치 무자파르의 말을 알아듣기라도 한 듯 고개를 끄덕였다.

무자파르가 풀려난 걸 본 상인들은 자신들도

어서 살려 달라고 소리를 쳤다. 그러자 무자파르는 원숭이를 가리키며 말했다.

"이 원숭이가 나를 구해 주었다. 그래서 나는 답례答禮로 이 원숭이에게 내가 중국에서 산 물건의 절반을 줄 것이다. 너희들도 그럴 수 있겠느냐?"

그러자 상인들은 입을 모아 소리쳤다.

"네, 알겠습니다. 제가 중국에서 산 물건의 절반을 그 원숭이에게 주겠습니다!"

그 말을 알아듣기라도 한 듯 원숭이는 상인들의 밧줄을 하나하나 풀어 주었다. 자유의 몸이 된 무자파르와 상인들은 혹시나 식인종들에게 들킬세라 얼른 배에 올랐다.

그렇게 무하메드의 은전 다섯 닢으로 산 원숭이는 진주 다섯 포대와 함께 중국에서 가지고 온 모든 물건의 반을 가지게 되었다. 아직도 얼떨떨한 무하메드에게 무자파르가 웃으며 말했다.

답례(答禮) : 말, 동작, 물건 따위로 남에게서 받은 예를 도로 갚음.

내 밧줄도 풀어 다오.
내 물건의 절반을 줄게.
나도, 나도!
내 물건의 절반을 줄게.
주신다면 사양하지
않겠습니다!
배에 있는
내 물건의 절반을
네게 줄 것이니라.

"알라신의 가호加護가 너에게 깃든 모양이로구나. 이제 저것들을 밑천 삼아 장사를 하면 어떻겠느냐. 열심히 하면 더 큰 부자가 될 수 있을 것이다."

무자파르의 축복이 깃든 말에 무하메드는 그제야 정신을 차렸다.

수많은 사람들의 부러움을 한 몸에 받는 마을에서 가장 큰 부자가 된 무하메드는 절대 게으름 부리는 일 없이 장사를 해서 큰돈을 벌어 결국 나라에서 제일 가는 큰 부자가 되었다.

무하메드는 그 돈으로 어머니의 병도 고치고 평생을 행복하게 지냈다. 그리고 무하메드의 원숭이는 맛난 바나나를 평생 먹을 수 있었다.

세헤라자데는 샤리야르 왕에게 1001일 동안 재미있는 이야기를 들려주었다. 지혜로운 세헤라자데는 언제나 해

가호(加護) : 신 또는 부처가 힘을 베풀어 보호하고 도와줌.

가 뜰 무렵 가장 흥미진진한 대목에서 이야기를 멈추었다. 그 덕분에 하루를 더 살 수 있었다.

1001일째 밤을 보내고 동이 터 올 무렵이었다. 세헤라자데는 두 손을 무릎 위에 포개고 앉아 샤리아르 왕에게 말했다.

"왕이시여, 천하룻 동안의 저의 이야기는 전하를 웃으시게도 하고 숨이 막힐 만큼 놀라시게 하기도 하고 눈물을 흘리시게도 했습니다. 아침이 되어 궁전의 뾰족탑 위로 해가 떠오르면 전하께서는 제 목숨을 하루 더 늘려 주셨습니다. 하오나 전하, 안타깝게도 저는 이제 전하께 더 이상 들려 드릴 이야기가 없습니다."

세헤라자데의
이야기를 듣고
샤리아르 왕의 분노가
눈 녹듯 사라졌대!

말을 마친 세헤라자데는 눈을 내리깔고 조용히 왕의 대답을 기다렸다.

"그대가 들려주는 재미있는 이야기에 빠져 나는 분노로 내뱉었던 고약한 맹세를 잊고 지낼 수 있었다. 나를 원망했던 백성들도 예전처럼 나를 믿고 따르는구나. 세상에서 가장 훌륭한 여인이여, 그 고마움을 어찌 다 갚는단 말이냐?"

왕이 묻자 세헤라자데는 눈을 들어 왕을 바라보며 나직한 목소리로 대답했다.

"제가 바라는 것은 오직 한 가지뿐이옵니다. 사랑하는 아버지께 화가 미치지 않는 것입니다."

"걱정하지 마라. 그대의 아버지는 평생 나를 도와 내 옆에서 일할 것이다. 그리고 그대를 왕비로 맞아 영원히 행복하게 살고 싶구나."

왕은 이 말과 함께 세헤라자데에게 부탁을 했다.

"지혜롭고 총명한 여인이여, 그대의 이야기를 처음부터 다시 듣고 싶구나. 부디 이야기를 들려 다오."

왕이 애원하자 세헤라자데는 조용히 입을 열었다.

"옛날, 아주 먼 옛날 물고기를 잡아 하루하루 먹고 사는 어부가 있었습니다. 그는 매일 아침마다……."

그동안 들었던 이야기를 처음부터 다시 듣고 싶구나!
다시 들려 드리지요. 무한 반복이라도 해 드릴 수 있사옵니다.

PART 3

PART 3 PART 3

PART 3 PART 3 PART 3

PART 3 PART 3 PART 3 PART 3

PART 3 PART 3 PART 3 PART 3 PART 3

PART 3 PART 3 PART 3 PART 3 PART 3 PART 3

PART 3 PART 3 PART 3 PART 3 PART 3

PART 3 PART 3 PART 3 PART 3

PART 3 PART 3 PART 3

PART 3 PART 3

깊어지는 논술

논술에서 필요한
창의적인 사고력을 기르려면
생각의 문을 활짝 열어 두어야 해!

PART 3

깊어지는 논술

아라비안나이트
(The Arabian Nights' Entertainment)

리처드 버턴이 펴낸 〈아라비안나이트〉 안에는 180개의 긴 이야기와 108개의 짧은 이야기가 담겨 있어요. 이렇게 많은 이야기가 들어 있는 〈아라비안나이트〉이지만 그 안에 큰 주제는 분명히 있답니다. 그건 바로 '알라신을 공경하자' 예요.

이슬람교를 믿는 중동 지역은 알라신을 숭배하지요. 그래서 모든 작품의 곳곳에 알라신과 그를 싫어하는 마신이 나와요. 물론 알라신이 언제나 승리함으로써, 이야기를 듣는 사람들이 알라신을 더욱 숭배하도록 합니다.

그러나 단순히 종교적인 교훈뿐 아니라 세상을 살아가면서 반드시 지켜야 할 많은 교훈이 〈아라비안나이트〉에는 담겨 있답니다. 그러니 다른 종교를 믿는 곳에서도 이 이야기가 큰 인기를 끈 것이겠지요.

◀ 〈아라비안나이트〉는 전 세계 어린이들에게 꿈과 모험심을 심어 주었어요.

작가 소개

리처드 프랜시스 버턴
(Richard Francis Burton, 1821 ~ 1890)

리처드 프랜시스 버턴은 19세기 영국을 대표하는 탐험가예요. 모험을 좋아해 세계 곳곳을 탐험했지요. 아프리카 대륙의 탕가니카 호수를 발견하는 등 주로 아프리카와 중동 지역을 많이 탐험했어요. 그러면서 유럽인 최초로 이슬람교를 공부할 정도로 아랍 문화에 흠뻑 빠졌지요. 그러던 중 중동 지역에서 떠돌던 〈아라비안나이트〉 이야기를 듣게 된 거예요.

▲ 전 세계의 많은 작가들이 〈아라비안나이트〉에 큰 영향을 받았어요.

그는 자신이 알고 있는 아랍 문화와 이슬람교의 지식을 바탕으로 유럽 사람들도 쉽게 이해할 수 있는 〈아라비안나이트〉를 엮었어요. 버턴의 이름으로 출간된 책은 곧 전 세계 언어로 번역되었으며, 오늘날 〈아라비안나이트〉는 세계 문학사상 가장 빛나는 걸작으로 평가 받고 있지요.

〈아라비안나이트〉에 담긴 교훈을 되새겨 보세요!

우리도 이야기를 만들어 보아요!

여러분, 〈아라비안나이트〉를 재미있게 읽었나요? 흥미진진한 이야기들이 아주 많은데 이 책에 다 싣지 못해 안타까워요. 리처드 버턴이 펴낸 〈아라비안나이트〉에는 '알라바바와 40인의 도둑'과 '알라딘의 마술 램프'는 실려 있지 않아 이 책에서도 싣지 않았답니다.

6세기경부터 중동 지역에서 전해 내려오던 〈아라비안나이트〉의 이야기들은 유럽에 소개되면서 수많은 작가들의 작품 소재가 되었어요. 그래서 〈아라비안나이트〉를 소재로 한 이야기들이 많이 있지요.

〈아라비안나이트〉는 구비(口碑) 문학이에요. '구비'란 비석에 새긴 것처럼 오래도록 전해 내려온 말이라는 뜻으로, 예전부터 말로 전하여 내려온 것을 가리키지요.

사실 모든 사람이 글을 읽고 쓸 수 있게 된 건 그리 오래된 일이 아니랍니다. 우리나라만 해도 세종 대왕이 한글을 만들기 전까지 많은 백성들은 글을 읽고 쓰지 못했어요. 그래서 재미있는 이야기는 글이 아닌 말을 통해 전해졌답니다.

우리나라의 유명한 고전 문학인 〈춘향전〉이나 〈심청전〉도 원래는 말로 전해지던 이야기였어요. 그러던 것이 한글이 만들어진 뒤에야 글로 전해지게 된 것이랍니다.

그런데 〈아라비안나이트〉가 전해 내려오던 중동 지역에서는 이런 구비 문학이 굉장히 발달되어 있었어요. 왜 그럴까요?

중동 지역은 끝없이 펼쳐진 사막이 많아요. 도시에서 다른 도시로 가려면 며칠 동안 사막을 건너야만 하지요. 그리고 그런 사막을 다니며 장사를 하는 대규모의 상인 집단들이 많았어요. 그 사람들은 아침 일찍 사막을 출발해서 해가 가장 뜨거운 오후에는 오아시스에서 쉬고, 다시 걷다 밤이 되면 천막을 치고 자는 생활을 계속했어요. 그 과정이 얼마나 지루했겠어요. 그래서 그들은 서로 이야기를 나누기 시작한 거예요. 아마 무리 중 가장 말재주가 뛰어난 사람이 이야기를 시작했겠지요.

"옛날, 아주 옛날에 샤리야르라는 왕이 살았는데……."

그렇게 시작한 이야기는 며칠 동안의 사막 횡단이 끝날 때까지 이어져요. 그러니 '어부와 마신 이야기' 처럼 그 속에 계속 이야기를 붙여 넣은 것이지요.

이야기를 들은 사람이 다음에 만난 다른 사람들과 사막을 넘을 때는 자신이 그 이야기를 들려줬을 거예요. 재미있는 부분은 늘리고, 기억이 안 나면 대충 넘어가기도 하면서 말이에요.

그런데 그런 이야기들은 누가 지어낸 걸까요? 어떤 특별한 사람이었을까요? 아니에요. 우리처럼 평범한 사람이었어요. 그저 머릿속에 떠오른 짧은 이야기를 심심풀이로 시작했다가 점점 입에서 입으로 전해지면서 이야기에 살이 붙어서 길어진 것이지요.

소문 한마디가 입에서 입을 통해 전해지다 길어지는 경우를 경험해 보았을 거예요. 그런 면에서 재미난 소문을 이야기하는 우리 모두 이야기꾼으로서의 재능을 갖고 있다고 할 수 있어요.

여러분들도 한 번 주변을 둘러보며 흥미 있는 이야깃거리를 찾아보세요. 그리고 친구들에게 그 이야기를 들려줘 보세요. 여러분들이 들려주는 이야기 때문에 배꼽을 잡고 웃는 친구들도 있을 것이고 감동을 받아 눈물을 글썽이는 친구도 있을 거예요.

난폭했던 왕이 세헤라자데의 이야기를 듣고 감동해서 예전의 현명했던 왕으로 돌아온 것처럼 말이지요. 그럼 여러분도 작가 아니냐고요? 맞아요. 여러분도 어엿한 작가라고 할 수 있어요. 이야기로 사람들을 즐겁게 해 주고 감동을 주었으니까요.

기억하세요. 하늘까지 치솟은 나무의 시작은 작은 씨앗부터라는 사실을 말이에요.

나는 '어부와 마신 이야기'가 제일 재미있던걸. 번빠리 너는?

나는 '게으름뱅이 무하메드 이야기'와 '현자 두반과 유난 왕 이야기'가 재미있었어.

PART 4

논술 워크북

이제 논술 워크북을 통해
논술 실력을 쑥쑥 키워 보자!

PART 4

논술 워크북

논술 1단계 | 꼭 알고 넘어가요

1-1 세헤라자데는 왜 왕에게 긴 이야기를 들려주기 시작했나요?

1-2 〈아라비안나이트〉는 어느 지역에서 전해지던 이야기이고, 배경이 된 종교는 무엇인가요?

HINT

본문을 잘 읽고 물음에 답하세요.

2 〈아라비안나이트〉는 글이 아닌 말로 전해 내려온 구비 문학입니다. 처음부터 글로 기록되어 전해지는 문학과 차별되는 구비 문학의 특징으로는 어떤 것이 있을지 생각해 보세요.

HINT

말로 이야기를 전하는 것과 기록을 남기는 것에 어떤 차이가 있을지 생각해 보세요.

3 여러분이 알고 있는 이야기 가운데 〈아라비안나이트〉가 바탕이 된 이야기가 있는지 찾아 보고, 어떤 이야기인지 말해 보세요.

HINT

〈아라비안나이트〉는 영화나 연극, 애니메이션의 소재로 널리 쓰이고 있답니다.

4 '〈아라비안나이트〉의 주제는 권선징악이다.' 라는 주장에 대하여 여러분은 어떻게 생각하나요? 여러분의 생각에 따라서 이 주장을 옹호하거나 반대하는 논증을 완성해 보세요.

HINT

'권선징악' 이란 '선한 일을 권장하고, 악한 일을 벌한다.' 는 뜻입니다.

5 다음은 각각 〈아라비안나이트〉를 구성하는 이야기의 한 부분들입니다.

(가) '내일이면 죽을 언니에게 이야기를 해 달라니?'

샤리야르 왕은 의아했다.

세헤라자데는 책에서 읽은 수많은 이야기를 기억하고 있었다. 이야기들은 모두 재미있었고 또한 삶의 교훈이 담겨 있었다. 그 이야기를 샤리야르 왕이 듣고 교훈을 얻는다면 분명 예전의 너그럽고 현명한 왕으로 돌아올 거라는 것이 세헤라자데의 생각이었다.

"그러고 보니 아직 너에게 해 줄 이야기가 많이 남았구나. 만약 전하께서 허락하신다면, 그중 가장 재미있는 이야기를 하나 해 줄게."

"어디 재미있는 이야기가 무엇인지 들어나 보자꾸나."

샤리야르 왕은 얼른 승낙했다. 자신도 세헤라자데가 무슨 이야기를 할지 궁금했던 것이다. 세헤라자데는 미리 준비해 놓은 이야기를 하기 시작했다.

(나) "어부여, 제발 부탁이니 나를 다시 풀어 다오. 그럼 내가 너에게 왕의 자리와 세상의 모든 보물을 주겠다. 거기다 세 가지 소원까지 들어주겠다. 아니, 다섯 개! 아니, 열 개의 소원을!"

마신은 다시 세상에 나가게 되면 틀림없이 행복하게 해 주겠다며 애원했다.

"흥, 거짓말!"

어부는 콧방귀를 뀌며 말했다.

"지금 너는 현자 두반을 배신한 유난 왕과도 같은 놈이야!"

"대체 그게 무슨 말이냐? 현자 두반은 누구이며, 유난 왕은 또 누구란 말이냐?"

어부는 뱃머리에 걸터앉아 이야기를 시작했다.

(다) 마신아, 잘 들어라.

옛날에 유난이라는 왕이 있었다. 그는 온 세상 사람의 존경을 한 몸에 받는 현명하면서도 용감한 왕이었다. 그러나 유난 왕은 치명적인 병에 걸려 죽을 날만을 기다리는 신세였지. 온몸에 문둥병이 퍼졌거든.

온 나라의 난다 긴다 하는 의사들이 유난 왕의 문둥병을 낫게 하기 위해 몰려들었어. 정성껏 유난 왕을 치료했지만 아무 소용이 없었지.

그러던 어느 날이었어. 두반이라는 사람이 유난 왕의 왕궁이 있는 도시에 나타났어. 그는 정말 대단히 박식한 사람이었지.

(가)와 (나), (다)의 관계를 설명하고, 이것을 참고로 〈아라비안나이트〉의 구성상의 특징에 대해 서술해 보세요.

HINT

(가)와 (나), (다)가 각각 〈아라비안나이트〉의 구성에서 어떤 역할을 하고 있는지 생각해 보세요.

6 다 쓴 글을 친구나 부모님 앞에서 발표해 보세요. 그리고 듣는 사람이 고개를 끄덕이는지 아니면 고개를 갸우뚱하는지 반응도 살펴보세요. 발표가 끝난 후 평가도 부탁해 보세요.

가이드북

GUIDE BOOK

논술을 잘하려면
논리적으로 생각할 줄
알아야 해!

가이드북

작품의 전체 줄거리

샤리야르 왕은 왕비를 무척 사랑합니다. 그런데 어느 날, 그는 왕비가 자신을 배신했다는 것을 알게 되고 왕비를 살해합니다. 난폭해진 그는 새 왕비가 들어오는 대로 모두 죽이기 시작하고, 백성들은 고통을 당합니다. 현명한 세헤라자데는 자원하여 왕비로 들어간 다음에 긴긴 이야기를 하기 시작합니다. 세헤라자데가 들려주는 이야기에 흥미를 느낀 왕은 세헤라자데를 죽이는 것도 잊고서 매일 밤 이야기를 듣습니다.

어부가 바다에서 마신을 건진 이야기, 유난 왕과 두반의 이야기, 왕자와 요괴 굴라의 이야기, 허풍선이 알리의 여행 이야기, 부자가 된 게으름뱅이 이야기 등 매일 밤 이어지는 이야기를 듣고서 왕은 잘못을 뉘우치고 세헤라자데를 왕비로 삼아 다시 어진 왕이 됩니다.

〈아라비안나이트〉의 의미

〈아라비안나이트〉는 이란, 중동, 인도, 이집트, 그리스 등 과거 이슬람 문화가 세력을 형성했던 방대한 지역에서 오랜 세월에 걸쳐 입에서 입으로 전해진 이야기들이 담겨 있습니다.

〈아라비안나이트〉는 한 편 한 편의 이야기들이 각각 종교, 선과 악, 유머, 사랑 등 삶의 다양한 면을 그려내고 있는데, 그 속에 깃든 통찰과 재치, 다채롭고 거침없는 상상력 등은 천 년 이상의 세월이 흐른 지금까지도 사람들에게도 신선하게 느껴집니다. 그래서 '〈아라비안나이트〉에 포함되지 않은 새로운 이야기는 없다.' 라고까지 말해지고 있지요.

〈아라비안나이트〉는 그 속에 담긴 독특한 상상력으로 공상 과학 소설, 추리 소설 등에도 큰 영향을 끼쳤습니다. 또한 영화와 연극, 애니메이션의 단골 소재로 어린이들에게도 끊임없는 사랑을 받고 있습니다.

1-1 사고 영역 _ 사실적 이해

본문을 잘 읽었는지 확인하는 문제입니다. 작품을 잘 읽었다면, 바르게 답할 수 있습니다.

사랑했던 왕비가 부정을 저지르자 여자를 믿지 못하게 된 샤리야르 왕은 새로 맞이하는 신부들을 매일같이 죽이는 폭군으로 변했습니다. 왕의 신부가 된 세헤라자데는 재미있고 교훈이 담긴 이야기를 통해 왕의 분노를 가라앉히고 예전의 현명하고 어진 왕으로 되돌려 놓기 위해 1001일 동안이나 이어지는 긴 이야기를 했던 것입니다.

1-2 사고 영역 _ 사실적 이해

작품의 기본 배경을 이해하고 있는지 확인하는 문제입니다.

〈아라비안나이트〉는 이슬람 문화권에서 전승되어 온 이야기입니다. 중동 지역뿐 아니라 인도, 페르시아와 이집트 등의 아프리카 국가, 유럽 일부 지역 등 과거 이슬람 문화가 번성했던 지역에서 전해져 왔습니다. 이슬람 문화권에서 전해 내려오는 이야기이므로 종교적 배경은 이슬람교입니다. 본문에서 여러 차례 알라신이 언급되어 있는 것을 보아도 종교적 배경을 쉽게 파악할 수 있지요.

CHECKPOINT

본문을 잘 읽었는지, 작품 이해에 필요한 배경 지식을 충분히 알고 있는지 확인합니다.

2 사고 영역 _ 비판적 사고

주어진 문제에 대하여 생각해 보고 분석해 보면서 작품에 대한 이해도를 높입니다.

기록 문학과 구별되는 구비 문학의 특징으로는 무엇이 있을까요? 구비 문학의 특징을 알기 위해서는 두 장르의 특징을 각각 생각해 보고, 가장 다른 점이 어떤 것인지 비교해 봐야 합니다.

문자로 기록된 기록 문학은 작가가 명확하게 드러나기 때문에 작품의 내용이나 형식이 바뀌는 일이 드뭅니다. 그에 비해 입에서 입으로 전해지던 구비 문학은 이야기를 처음 지은 작가가 누구인지 알 수 없고, 또 오랜 세월 여러 사람을 거쳐 전해지는 동안에 이야기가 과장되거나 새로운 내용이 첨가되곤 합니다. 이렇게 구비 문학은 일정한 작가가 없으며, 입에서 입으로 전해지면서 내용이 바뀌어 여러 형태의 이야기들이 전해진다는 점이 기록 문학과 구별되는 가장 커다란 특징이라고 할 수 있습니다.

또한 기록 문학이 문자로 기록된다는 특징 때문에 글이 쓰인 당시의 분위기를 반영하는 사실주의적 성격을 가졌다면, 기록에서 자유로운 구비 문학은 환상과 허풍을 지향한다는 점도 특징이라고 볼 수 있습니다.

〈아라비안나이트〉에서도 환상과 과장, 허풍의 전통이 살아 숨 쉬는 구비 문학의 특징을 잘 엿볼 수 있습니다.

CHECKPOINT

구비 문학의 특징이 '입에서 입으로 전해지는 이야기'라는 것에 대하여 이해할 수 있어야 합니다.

3 사고 영역 _ 창의적 사고

각자 알고 있는 관련 이야기를 말해 보면서 작품에 대한 흥미와 이해도를 높입니다.

〈아라비안나이트〉는 이미 여러분에게 친숙한 이야기일 것입니다. 이 책에는 실리지 않았지만 어린이들이 좋아하는 애니메이션에 단골로 등장하는 '신드바드의 모험', '알리바바와 40인의 도둑' 등의 이야기들이 바로 〈아라비안나이트〉에서 나온 것이기 때문입니다.

여러분이 아는 이야기 가운데 압둘라, 알리바바 등의 이슬람식 이름이 나오는 이야기들 가운데 많은 것들이 〈아라비안나이트〉에 나오는 이야기일 가능성이 높습니다. 여러분이 책이나 영화, 애니메이션 등에서 접한 이야기들을 생각해 보고, 자유롭게 줄거리를 이야기해 보세요.

CHECKPOINT

자유롭게 이야기하고 도서관이나 인터넷을 이용하여 관련된 이야기를 찾아볼 수 있도록 해 주세요.

논술 4단계 해설 | 주장과 의견을 말해요

사고 영역 _ 논리적 사고

하나의 주장에 대해서 옹호하거나 반박하는 논증을 만들어 보면서 자신의 주장을 효과적으로 구성하는 논술의 기초를 배우게 됩니다.

- **옹호하는 논증의 예** : 알라신을 믿고 따르며, 착하게 살라는 교훈을 담고 있는 〈아라비안나이트〉의 주제는 '권선징악' 입니다. 샤리야르 왕을 보면 '권선징악' 이라는 주제가 더 명확하게 드러납니다. 세헤라자데가 긴 이야기를 하는 까닭은 폭군으로 변한 왕에게 '권선징악' 이라는 교훈을 주어 다시 예전의 선하고 어진 왕으로 되돌리기 위함이었습니다. 〈아라비안나이트〉는 재미있으면서도 권선징악의 교훈을 주제로 담고 있는 이야기들의 모음인 것입니다.

- **반대하는 논증의 예** : 〈아라비안나이트〉에는 '권선징악' 의 교훈을 담지 않은 이야기도 많습니다. 예를 들어 '밀 도둑 이야기' 에서 밀을 훔치다 방귀를 뀌어 잡힐 위험에 처한 도둑이 말장난으로 위기를 넘긴다는 이야기를 권선징악으로 해석하기는 어려울 것입니다. 〈아라비안나이트〉를 권선징악으로만 보려고 하는 것은 작품이 담고 있는 다채로운 이야기의 세계를 지나치게 경직된 관점으로만 보는 것입니다. 권선징악이라는 주제에 집착하지 말고, 넓은 관점으로 이야기 자체의 재미를 느껴 보는 것이 〈아라비안나이트〉를 읽는 올바른 태도일 것입니다.

CHECKPOINT

주장을 뒷받침하는 타당하고 적절한 근거를 제시하는 것이 중요합니다.

5 사고 영역 _ 논리적 사고

제시문을 분석하고 파악하여 논술의 주제와 연결시킬 수 있어야 합니다.

제시문 (가), (나), (다)는 모두 〈아라비안나이트〉에 나오는 부분으로 서로 연결되어 있는 부분입니다. (가)는 작품의 발단 부분으로써, 세헤라자데가 왕에게 긴 이야기를 시작하는 부분입니다. 그리고 (나)는 세헤라자데가 왕에게 들려준 이야기이고, (다)는 세헤라자데가 말한 이야기 속에 등장하는 이야기입니다. (나)는 (가) 속의 이야기이고, (다)는 또 (나) 속의 이야기인 것입니다.

이야기 속에 이야기가 들어 있는 이러한 구성을 '액자식 구성'이라고 합니다. 〈아라비안나이트〉는 액자식 구성 가운데서도 이야기들이 꼬리에 꼬리를 물고 중첩되는 복잡한 구성을 갖고 있습니다.

CHECKPOINT

(가), (나), (다)가 액자식 구성을 이루고 있다는 것을 파악할 수 있어야 합니다.

논술 6단계 해설 | 나의 글을 발표해요

다음은 논술 5단계 문제에 대한 예시 글입니다. 지도에 참고하시기 바랍니다.

〈아라비안나이트〉는 액자식 구성을 특징으로 하고 있습니다. 제시문 (가), (나), (다)를 보면 작품이 액자식으로 구성되어 있다는 것이 선명하게 드러납니다.

(가)는 〈아라비안나이트〉의 도입 부분으로, 세헤라자데가 폭군이 된 왕에게 이야기를 들려주기 시작하는 부분을 그리고 있습니다. 이 부분은 이야기의 가장 큰 틀을 이루고 있는 부분으로, 다른 이야기들을 이끌어 내는 바탕이 되어 주는 부분입니다.

(나)는 세헤라자데가 왕에게 들려준 이야기 가운데 하나로서, (가)와 이어져서 '이야기 속의 이야기'이며, (다)는 (나)의 이야기의 한 부분입니다.

〈아라비안나이트〉는 이야기 속에 이야기가 들어 있고, 또 그 이야기 속에도 이야기가 들어 있어서 이야기들이 꼬리에 꼬리를 무는 복잡한 액자식 구성을 보여 주고 있습니다.

그런데 〈아라비안나이트〉에서 이렇게 복잡한 구성은 오히려 작품에 집중할 수 있도록 해 주는 힘입니다. 세헤라자데의 이야기라는 큰 테두리는 이어질 이야기에 대한 호기심을 유발하며, 이어진 이야기 속에 나오는 이야기는 테두리를 이루는 이야기를 보완하여 이해를 돕고 있습니다.

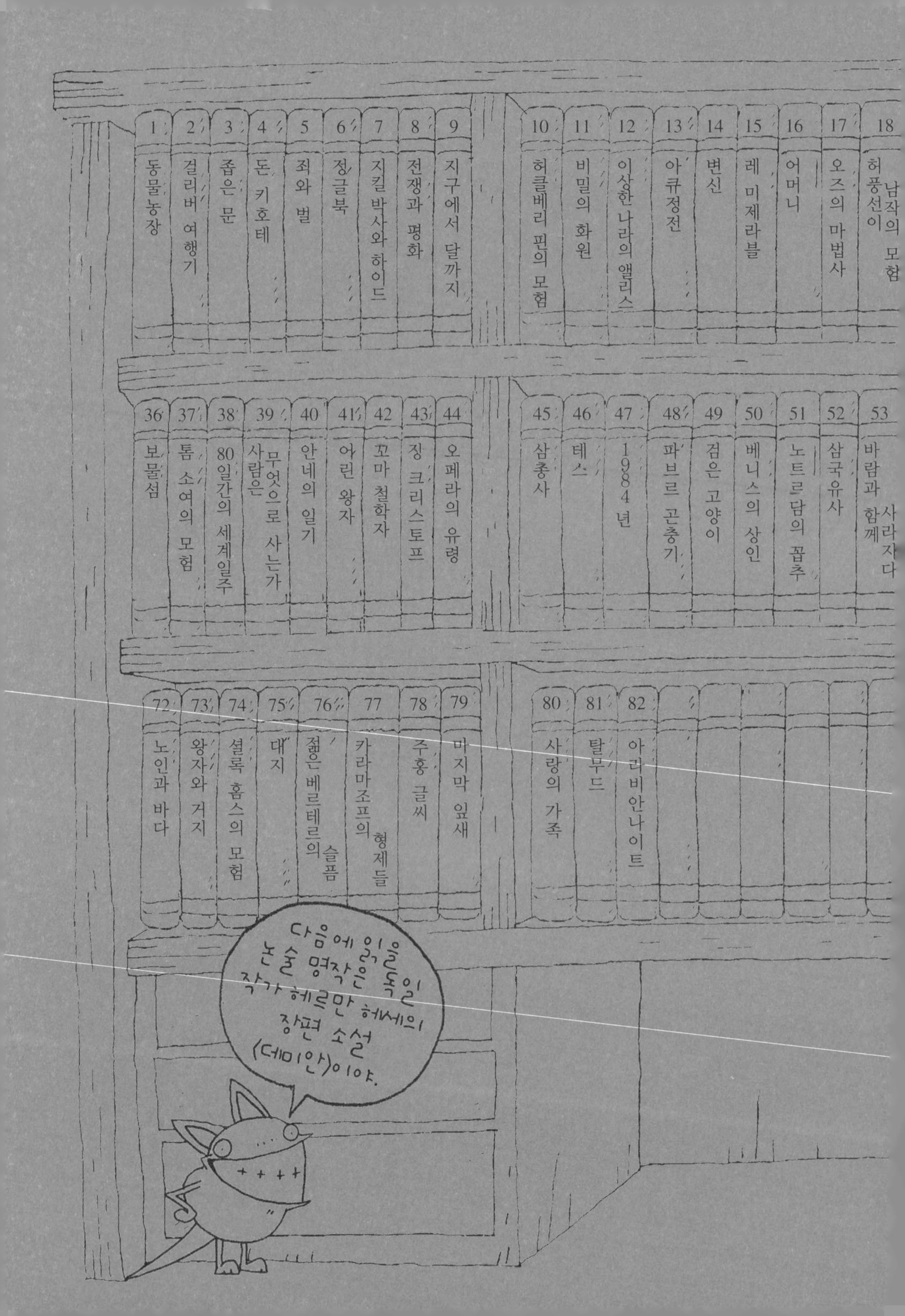

1 동물농장
2 걸리버 여행기
3 좁은 문
4 돈 키호테
5 죄와 벌
6 정글북
7 지킬 박사와 하이드
8 전쟁과 평화
9 지구에서 달까지
10 허클베리 핀의 모험
11 비밀의 화원
12 이상한 나라의 앨리스
13 아큐정전
14 변신
15 레 미제라블
16 어머니
17 오즈의 마법사
18 허풍선이 남작의 모험
36 보물섬
37 톰 소여의 모험
38 80일간의 세계일주
39 사람은 무엇으로 사는가
40 안네의 일기
41 어린 왕자
42 꼬마 철학자
43 징 크리스토프
44 오페라의 유령
45 삼총사
46 테스
47 1984년
48 파브르 곤충기
49 검은 고양이
50 베니스의 상인
51 노트르담의 꼽추
52 삼국유사
53 바람과 함께 사라지다
72 노인과 바다
73 왕자와 거지
74 셜록 홈스의 모험
75 대지
76 젊은 베르테르의 슬픔
77 카라마조프의 형제들
78 주홍 글씨
79 마지막 잎새
80 사랑의 가족
81 탈무드
82 아라비안나이트
다음에 읽을 논술 명작은 독일 작가 헤르만 헤세의 장편 소설 〈데미안〉이야.

19 도련님
20 제인 에어
21 올리버 트위스트
22 피터 팬
23 위대한 개츠비
24 닐스의 이상한 모험
25 오만과 편견
26 로빈슨 크루소
27 홍당무
28 타임머신
29 파우스트
30 파랑새
31 톰 아저씨의 오두막
32 폭풍의 언덕
33 작은 아씨들
34 알프스 소녀 하이디
35 크리스마스 캐럴
54 열하일기
55 키다리 아저씨
56 해저 2만 리
57 별
58 적과 흑
59 압록강은 흐른다
60 시턴 동물기
61 도리언 그레이의 초상
62 난중일기
63 쿠오바디스
64 몬테크리스토 백작
65 빨간 머리 앤
66 15소년 표류기
67 구운몽
68 목로주점
69 부활
70 일리아드
71 모비 딕
주인공 싱클레어가 참다운 어른으로 성장해 나가는 과정을 그린 작품이란다.
제1차 세계 대전이 끝난 뒤 전쟁에 패한 독일 청년들에게 깊은 감동을 주었다지?
논술 명작 83
데미안
헤르만 헤세는 〈유리알 유희〉로 1946년 노벨 문학상을 받았대.